MA VIE HORIZONTALE

Chelsea Handler

MA VIE HORIZONTALE

Journal d'une serial coucheuse

roman

traduit de l'américain par Daphné Bernard

Titre original : MY HORIZONTAL LIFE
© Chelsea Handler, 2005
Traduction française : NiL éditions, Paris, 2007

ISBN 978-2-84111-322-4
(édition originale : ISBN 978-1-58234-618-2 Bloomsbury, New York)

À mes parents,
en les remerciant de m'avoir mise au monde.
Regardez le résultat !

Regarde qui couche avec maman

J'avais sept ans quand ma sœur m'a proposé cinq dollars pour monter dans la chambre des parents et les prendre en photo pendant qu'ils s'envoyaient en l'air. J'avais entendu parler d'histoires de coucheries sans très bien comprendre de quoi il s'agissait. Mais je savais que mes parents « couchaient » souvent. À six reprises, pap's avait déposé sa petite graine dans le ventre de ma mère : pour mes frères, mes sœurs et moi, c'était la preuve d'une grande passion. Nous entendions régulièrement des chocs sourds et des rires égrillards s'échapper de la chambre conjugale. Les grands prenaient des airs dégoûtés, et moi, la plus jeune, je les singeais sans bien savoir pourquoi. Sans doute pour faire semblant de m'y connaître et essayer de les impressionner par ma précocité.

Je sautais toujours sur l'occasion de me faire facilement quelques sous. Depuis ma naissance je portais les vêtements de mes sœurs, et j'en avais plus que marre de ces fringues d'occasion. Peut-être que j'ignorais pratiquement tout de la sexualité, en revanche je savais que, pour être prise au sérieux en CE1, je devais renouveler ma garde-robe.

— Fastoche, j'ai répondu. Où est l'appareil photo et comment on s'en sert ?

Ma sœur Sloane derrière moi, je suis montée sur la pointe des pieds à l'étage de la chambre des parents. Le verrou était trop déglingué pour être efficace. Il bloquait la poignée, mais un coup d'épaule suffisait à ouvrir la porte.

Cette fois, la porte était bel et bien fermée. J'allais être obligée de la forcer. Sloane a reculé prudemment vers l'escalier. Et moi je me suis préparée à décamper au plus vite.

— Prête ? je lui ai demandé.

— Vas-y !

Voir sa mère nue pour la première fois est un choc dont on a du mal à se remettre. Voir sa mère à poil, dans un lit, avec une coiffe d'infirmière sur la tête, faire des galipettes avec son père habillé en tout et pour tout d'un bandana autour du cou, a de quoi vous envoyer à l'asile. Par chance, j'ai eu le temps de les prendre en photo avant qu'ils ne comprennent ce qui se passait. Sur le second cliché, pap's fonce sur moi, armé d'une ceinture.

Ma sœur avait déjà atteint le rez-de-chaussée quand j'ai bondi hors de la chambre. J'ai sauté d'un seul coup en bas de l'escalier. Heureusement, au cours des mois précédents, je m'étais exercée trois jours consécutifs dans la neige. Sans me retourner pour voir si papa et son zizi s'étaient lancés à ma poursuite, j'ai continué à courir. Un double escalier menait à la cave. Ma sœur a pris les marches de droite, moi celles de gauche. La cave servait de buanderie, la seule pièce où pap's ne mettait jamais les pieds.

— Ferme à clé! a-t-elle hurlé tout en se réfugiant derrière une pile de linge sale.

— Oh, mon Dieu, pap's a une ceinture!

— Quoi?

— Une ceinture! Il a une ceinture. Il va nous battre avec!

— Celle qui tient son pantalon?

— Ouais! Il va nous frapper!

On avait trop peur pour pleurer. C'était ma mort assurée. J'allais être assassinée à coups de ceinture dans la cave par mon père tout nu. Le genre d'horreur qui, je l'avais appris, arrivait aux gosses des quartiers pauvres. Soudain, des pas ont résonné dans l'escalier, suivis de coups sur la porte.

— Ouvrez cette putain de porte! Immédiatement! Je vais vous corriger! Vous n'y échapperez pas!

Les yeux hors de la tête, j'ai regardé Sloane. C'était à elle de nous sortir de cette panade. À elle, du haut de ses douze ans, de prendre les opérations en main.

— Demande-lui s'il va nous fesser avec la main ou avec la ceinture.

Visiblement, elle ne plaisantait pas. J'ai crié à travers la porte :

— Avec la main ou avec la ceinture?

— Quoi?

Je me suis rapprochée de la porte.

— Tu vas nous battre avec ta ceinture ou avec la main?

Papa s'est mis à secouer la poignée.

— Je n'utiliserai pas la ceinture ! Un... deux...

Pourquoi comptait-il à voix haute ? Mystère et boule de gomme. Pendant un moment, j'ai même cru qu'il allait réciter l'alphabet. Il s'est arrêté à « trois » et, alors que nous étions prêtes pour le pire, le « quatre » n'est pas venu.

Sloane s'est accrochée à moi comme à une bouée de sauvetage. Entre-temps, elle était passée des sanglots aux hoquets. Puis elle a commencé à trembler comme une feuille. J'ai essayé de la consoler en lui caressant le dos comme le faisait maman, mais j'avais bien trop peur pour être d'une grande efficacité.

Sloane était terrorisée, c'était à moi de mettre au point une stratégie de fuite. Ma sœur aurait été incapable de faire boire un âne assoiffé dans notre piscine et encore moins de trouver un moyen de regagner nos chambres sans recevoir une dégelée.

— On n'a qu'à monter et le laisser nous battre, a-t-elle murmuré.

— Sûrement pas. Je donne pas de rendez-vous pour être fouettée. En plus, c'était ton idée, pap's devrait te corriger deux fois.

— Oh, allez, qu'on en finisse !

— Certainement pas, bordel ! Pas question de monter.

C'était la première fois que je disais « bordel » en public et j'ai trouvé ça sympa. Mes frères et mes sœurs juraient comme des charretiers, mais jusqu'à présent je n'avais jamais osé utilisé de gros mots. Seule dans ma chambre, je m'exerçais souvent, en essayant différents rythmes et intonations, à dire : putain, putain, connard.

Merde, merde, enculé. Va te faire mettre, espèce de raclure de bidet ! Mon expression favorite ? Putain de mes deux. J'avais l'intention de me lancer bientôt, quand une des instit' serait dans les parages. En CP, personne ne comprenait mon sens de l'humour, mais j'avais bien l'intention de me distinguer en CE1.

Prononcer le mot « bordel » devant ma sœur m'a aussitôt donné de l'autorité. Sloane attendait que je prenne une décision. J'ai tendu l'oreille pour savoir ce qui se passait en haut. La maison était plongée dans le silence. Et si papa nous avait oubliées ? Peut-être qu'il regardait la bourse à la télé et découvrait que la valeur de ses huit actions de Noah's Bagel avait quadruplé. Peut-être que si nous restions planquées suffisamment longtemps, il serait tellement heureux de nous voir apparaître qu'il nous pardonnerait. Je pourrais lui mentir en prétendant que je cherchais des cotons-tiges dans leur chambre et que l'appareil photo m'avait servi à cacher ce que je n'étais pas censée voir. Ou que j'étais venue demander de l'aide pour mes devoirs. Pap's adorait que je fasse mes devoirs.

Après une demi-heure dans la buanderie ma sœur a commencé à se plaindre de la faim.

— À ton avis, où est mam's ?

Ma mère était la gentille de la famille, essayant de nous protéger des colères paternelles. Quoi qu'on fasse, elle prenait toujours notre défense. Et plus encore depuis que nous pouvions la faire chanter.

Il aurait suffi que je lui rappelle que, la semaine précédente, elle avait oublié de venir me chercher à l'école et que j'avais été accostée par un violeur en rentrant toute seule à la maison. Nous n'étions qu'à deux kilomètres de l'école, mais un individu avait ralenti et longé le trottoir où je marchais en me demandant si je voulais lui faire des trucs. En voyant ce gros barbu infect vêtu d'un bleu de travail, j'avais pris mes jambes à mon cou et battu mon record de vitesse. Après avoir invectivé ma mère pendant vingt minutes pour m'avoir oubliée à l'école en me faisant prendre le risque d'être enlevée, elle a éclaté :

— Mais il ne t'est rien arrivé ! Heureusement, tu cours vite !

Ma mère est née en Europe et exprime son amour en nous couvrant de tonnes de nourriture et de centaines de câlins. Elle n'était pas du genre à assister à nos pièces de théâtre ou à nos compétitions sportives, mais si on voulait rester coucher en prétextant un bobo, elle était à son affaire. Quand on montait dans sa chambre pour un bisou, elle sortait des friandises de sa table de nuit et nous regardait avec des flammes dans les yeux. Cette femme charmante ne pouvait encaisser les mères juives de notre ville qu'elle fuyait comme la peste. Elle aurait préféré s'immoler par le feu plutôt que d'assister à une réunion de parents d'élèves. On pouvait s'estimer heureuse qu'elle daigne assister à notre bat-mitzvah. Hélas, pap's adorait toutes les réunions de l'école : il s'installait au premier rang, sifflait et braillait. Avec ses aprèsski et son pull couvert de poils de chien, il ne passait pas inaperçu.

En temps normal, ma mère aurait frappé à la porte de la buanderie pour nous expliquer comment éviter la fessée. Mais, après le spectacle cochon dont je venais d'être témoin, qui pouvait prédire son humeur ?

14

— On m'a dit que les hommes s'endormaient après avoir couché, s'est souvenue Sloane.

— Pap's était en pleine forme quand il m'a couru derrière avec sa ceinture.

— Je ne peux pas attendre que maman vienne nous chercher. J'ai trop faim.

Je me suis assise sur le sèche-linge.

— Mam's portait une coiffe d'infirmière.

— Quoi?

— Quand je les ai surpris, elle était nue et pap's la poursuivait sur le lit. J'ai vu sa bite.

— Euh...

— Euh, quoi? C'est toi la petite vicieuse qui m'a entraînée dans cette histoire!

— Je pensais que tu te dégonflerais!

— Menteuse!

Typique de Sloane. Dès qu'il y avait un problème, elle faisait machine arrière. Mes frères et sœurs obtenaient de moi ce qu'ils voulaient, car j'avais envie qu'ils m'aiment, mais avec Sloane, c'était différent. D'ailleurs, est-ce que je l'aimais tant que ça?

— Tu n'es qu'une hypothèse! Je te déteste!

— On dit hypocrite, idiote, ce que je ne suis pas.

— Vraiment! T'as oublié l'histoire avec les sœurs Feinstein?

Un an plus tôt, j'étais encore en maternelle et Sloane en huitième. On allait ensemble à pied à l'école. Un jour, ces deux sœurs marchaient derrière nous, flanquées de leur lévrier qui devait mesurer plus d'un mètre de haut. Elles lui ont dit de rentrer à la maison, mais il a refusé de leur obéir. Sloane a eu peur de cet énorme chien qui ne cessait de gronder. Les filles se sont moquées de ma sœur parce qu'elle avait la trouille, mais il y avait de quoi. Leur monstre aurait mérité d'être enfermé dans un zoo. Une de ses pattes arrière saignait et on aurait dit qu'il se décomposait lentement.

— Arrêtez de ridiculiser ma sœur, espèces d'idiotes, j'ai crié. Votre chien est horrible et devrait être envoyé à la fourrière.

— Laisse tomber, a murmuré Sloane entre ses dents.

— Voyez-vous ça, s'est moquée l'une des filles, Sloane a besoin de sa petite sœur pour la défendre.

— Pas du tout ! j'ai répondu, furieuse.

Je me suis retournée, espérant que Sloane me soutiendrait. Mais elle s'était enfuie en direction de l'école.

Des années plus tard, j'ai appris le sens du mot « renégat » en classe d'histoire. Si j'avais eu plus tôt ce genre de munition à ma disposition, les choses auraient pu évoluer d'une tout autre manière.

— J'ai laissé tomber l'appareil photo dans la chambre de maman !

Sloane s'est levée, très énervée.

— Bravo ! Je m'en suis servie quand j'ai dormi chez Marsha. Avec les copines, on a enlevé nos pyjamas et on s'est photographiées en train de jouer au jeu de la vérité.

— Pourquoi ?

— Parce que ça nous amusait.

— Je vais te cafter.

— Je m'en fiche. On était entre filles.

— Espèce de lesbienne !

Je savais ce qu'était une lesbienne car la femme du meilleur ami de lycée de papa l'avait quitté pour une autre femme. Depuis, pap's ne l'appelait plus que la lesbienne.

— Je n'en suis pas une ! Ferme-la !

— Si, tu l'es ! Je le savais.

— S'il y a une lesbienne, c'est toi !

Ça m'a cloué le bec.

— On a intérêt à monter et à en finir, a proposé Sloane. Ensuite on pourra manger. J'ai envie d'un sandwich.

— Comment peux-tu penser à bouffer dans un moment pareil ?

Elle a changé de tactique.

— On est jeudi soir. Si on ne se bouge pas on va rater *The Cosby Show*.

C'était un argument massue pour n'importe quelle fille de sept ans. Malgré tout, j'étais prête à rester enfermée aussi longtemps qu'il le fallait pour que pap's m'oublie. J'avais vu sa bite et je pensais qu'il me serait impossible de le regarder dans les yeux pendant un certain temps.

Sortir par une fenêtre ? Je me retrouverais dehors à geler. Il valait mieux éviter de fuguer en hiver, surtout sans affaires.

Ma mère était-elle en colère contre moi ? J'ai exigé de ma sœur plus que les cinq dollars promis.

— Sûrement pas ! Tu t'es fait piquer ! Ça ne faisait pas partie de notre marché ! Je ne sais même pas si je vais te donner tes cinq dollars.

Je lui ai filé une claque sur l'arrière du crâne. Elle a essayé de me frapper, mais j'ai esquivé le coup. Elle a grimpé les marches en courant.

— Non ! Ne pars pas ! ai-je crié.

Mais trop tard. Le temps que je me précipite, elle avait déjà foncé en haut.

Au moment où j'allais boucler la porte, j'ai entendu le bruit d'une deuxième claque. Sur la figure, cette fois, à en juger par le son. Elle s'est mise à hurler. La pauvre ! J'aurais aimé qu'elle soit aussi courageuse qu'un gladiateur, comme moi quand j'aurai treize ans. Une athlète pleine d'audace avec un placard bourré de fringues de marques. Mais elle n'était qu'une poule mouillée. Je ne suivrais pas son exemple.

Pour m'en sortir, il était désormais clair que je devais faire le contraire de ce que pap's attendait. Au lieu de m'enfuir, j'allais rester là sans bouger. Même s'il me suppliait. Je lui dirais que ce que j'avais vu m'avait rendue malade et que j'aurais besoin d'un psychiatre pour affronter le monde. J'exigerais deux ou trois séances par semaine, durant les heures de classe. Ainsi qu'une garde-robe neuve. Enfin, je prendrais leur chambre et ils iraient coucher dans la mienne. S'ils ne me demandaient pas pardon, je leur ferais des procès pour : mauvaise éducation parentale, activités sexuelles avec une mineure, attentat à la pudeur devant mineure, comportement pornographique, etc. J'ai vu *Irreconcilable Differences*. Et je ne suis pas bête.

Pap's a frappé à la porte une dernière fois.

— Es-tu prête à sortir et à recevoir ta punition ?

— Je veux mam's !

Pas de réponse. Quel goût avait le sandwich de Sloane si elle avait la bouche en sang ? Les enfants Huxtable avaient-ils surpris leurs parents en train de faire l'amour ? Pour me distraire et m'occuper l'esprit, j'ai décidé de lancer une lessive. Au cas où ma mère descendrait, elle découvrirait tout le linge propre, en parlerait à mon père qui en conclurait que je n'étais pas si méchante que ça. Le spectacle de tous les boutons et cadrans de la machine m'y a fait renoncer.

Un truc qui rampait sur mon pied m'a réveillée au milieu de la nuit. J'ai bondi en l'air et couru en haut des marches. J'ai ouvert la porte tout doucement. Pas de lumière. Personne dans les parages. Je suis allée directement me coucher et je me suis endormie.

Pap's m'a réveillée à sept heures.

— C'est l'heure, trésor !

Et il est redescendu.

J'étais folle de joie. Sloane aurait dû m'écouter ! Je me suis habillée pour l'école, j'ai avalé un bol de Lucky Charms pour célébrer ma victoire et me suis brossé les dents.

Il m'attendait dans la voiture où il avait mis le chauffage. On ne savait jamais quelle bagnole il utiliserait, car une dizaine étaient parquées dans l'allée. Pap's se prenait pour un marchand de voitures d'occasion, mais pour moi « marchand » voulait dire acheter et vendre. Ses tacots pouvaient s'accumuler pendant des années dans le jardin et le plus souvent la batterie était à plat quand il voulait démarrer. La vue de ces carrosseries vieilles de plus de dix ans me rendait malade.

J'ai bondi dans la voiture qui fumait, une sorte de Plymouth turquoise fluorescente à l'intérieur en vinyle.

— Pap's, quelle jolie couleur !

J'avais à peine posé mon auguste popotin sur la banquette que pap's m'a fichu une baffe. En plein sur le nez. Le choc m'a tétanisée, horrifiée, coupé le souffle. Il a dû me casser le nez, j'ai pensé, puis les picotements ont cessé – juste au moment où je commençais à trouver ça agréable.

— Tu croyais donc que tu t'en tirerais sans être punie?

J'ai immédiatement fondu en larmes et sangloté comme une petite fille. J'étais une petite fille qui voulait se comporter comme une grande. À la fois blessée et furieuse d'être conduite à l'école par quelqu'un qui venait de me corriger. J'avais cru pouvoir rouler mon père dans la farine en lui sortant un petit compliment sur sa voiture merdique? Ce que j'étais gourde! Je n'ai pas apprécié qu'on me mette le nez dans mon caca. Ni ce jour-là ni plus tard.

Je n'ai pas dit un mot de tout le trajet. En arrivant devant l'école, je suis sortie et j'ai claqué la portière. Il a démarré en faisant un bruit d'enfer, sans doute le pot d'échappement qui frottait sur le macadam.

En y repensant, je me rends compte que cet incident a éveillé ma propre sexualité. Voir mes parents batifoler m'a montré qu'il y avait autre chose dans la vie que les devoirs de classe et *The Brady Bunch*.

J'ai séché mes larmes, enlevé un Lucky Charm collé à ma jupe, pris un air digne et je suis entrée dans l'école.

J'étais impatiente d'annoncer à toute la classe que j'avais vu mes parents coucher ensemble.

Le commencement de la fin

On croit qu'un coup d'un soir a quelque chose de honteux ou de déshonorant. Je ne suis pas d'accord. Il y a des tas de manières de connaître un bonhomme. Celle que je préfère ? Le voir nu, couché sur le ventre, comme un poupon de deux mois.

Il est également important de coucher rapidement avec un mec pour déterminer si ça marche au lit. Sans quoi, vous pouvez sortir avec votre nouveau copain pendant deux ou trois mois pour finalement vous apercevoir qu'il n'assure pas. Ou pire : qu'il aime qu'on lui mette des perles dans le cul ou qu'on le bâillonne.

Je me souviens de mon premier coup d'un soir comme si c'était hier. Bon, peut-être pas le premier. Plutôt le deuxième... ou le cinquième. Enfin, peu importe l'ordre chronologique.

C'était une nuit étoilée de l'été sur la côte du New Jersey. Jouez violons, résonnez harmonicas ! Harmonicas, mon cul ! Quand on songe à une atmosphère romantique, ce n'est pas le New Jersey qui vient à l'esprit. Encore moins un bled du nom de Belmar.

Je devais avoir genre dix-huit ans. Difficile d'être plus précise, car j'ai commencé à mentir sur mon âge dès que mes seins ont poussé. Ma copine Ivory et moi venions juste de passer notre bac et nous voulions fêter l'événement sur une plage. J'avais fait la connaissance d'Ivory quatre ans plus tôt et nous étions très proches. Ses parents étaient arrivés de Cuba bien avant sa naissance. Chacun de leurs enfants était la preuve de leur indéfectible patriotisme. Elle avait un frère qui s'appelait Cincinnati et une sœur, July, sans doute à cause de la fête nationale du 4 juillet. À un moment, ils se sont convertis au judaïsme.

C'était la première fois que nous nous rendions sur la côte et, en braves filles du New Jersey, nous avons décidé d'honorer nos concitoyens. C'était notre challenge. On en avait marre de se taper n'importe qui, de n'importe où.

On voulait danser. On a donc dégoté un bar sombre qui diffusait de la musique à tue-tête. J'ai demandé à Ivory de choisir le mec le plus bandant et je l'ai abordé aussi sec. C'était excitant d'accoster un aussi beau gars et d'être accueillie à bras ouverts ! Je me suis dit : « Le pied ! Je dois être super-belle. » Jusqu'à ce que je me mette à danser.

Vous avez déjà vu une petite feuj du New-Jersey, qui n'a pas vraiment le sens du rythme, guincher sur une piste ? On dirait presque une handicapée moteur. Dans mon état d'ivresse, j'avais l'impression de faire partie de la troupe de Chicago. Je me suis lancée dans un numéro où je frottais mes fesses contre la braguette de mon partenaire tout en lui enlaçant la nuque. En cas de doute, les filles, essayez ! La manœuvre vous vaudra au moins un morceau de pizza supplémentaire.

J'en ai réclamé deux. J'avais brûlé pas mal de calories avec mon Flashdance. Il fallait que mon gars sache que je n'étais pas le genre de fille à chipoter. On a bien rigolé en se goinfrant, tout en observant Ivory draguer son mec pour la nuit. Ce parfait spécimen de la racaille locale l'a embarquée dans sa Camaro jaune banane. Moi, j'ai suivi mon type chez lui, pour m'envoyer en l'air comme jamais de ma vie.

Je me souviens que le ventilateur du plafond tournait à fond (il y a deux choses dont j'ai besoin pour dormir : un ventilateur et un masque en soie). J'ai arraché ses vêtements et contemplé un des plus beaux corps que notre écosystème ait créé. Le lendemain, je boitais fortement : mes prouesses sur la piste de danse ou au lit ? Je n'en sais rien. Après un coup d'œil sur ma crinière dans la glace, j'ai envisagé de me présenter pour le rôle principal du *Roi lion*.

Je suis sortie avec ce superbe mec pendant huit mois. Au début, son physique m'a fait oublier son manque de personnalité, mais progressivement c'est devenu de plus en plus dur à supporter. On allait dîner et, à la dernière bouchée, il posait sa fourchette et demandait l'addition. La villa qu'il avait louée pour l'été avec quatre autres types n'avait de l'eau chaude que pendant dix minutes. Ensuite, elle coulait glacée. Il insistait toujours pour prendre sa douche en premier, sous prétexte que j'étais « son brave petit soldat ». C'était le genre de mec qui ne me laissait pas utiliser sa brosse à dents, quand j'avais oublié la mienne, par peur des microbes. Je lui préférais

23

ses colocataires. Dans la journée, je traînais avec eux. La nuit, je baisais avec lui. Avec la musique plein pot pour éviter toute conversation.

Notre histoire s'est terminée quand il a pris l'habitude de me réveiller à l'aube pour aller surfer. Il pensait que ça m'amuserait de le regarder. Tu parles, Charles ! Est-ce que je lui demandais de m'accompagner dans un bar pour me lorgner en train de picoler ? Je lui ai gentiment expliqué que je préférais m'agrafer la main au mur de ma chambre plutôt que de le voir en combinaison mouillée se ramasser la gueule toutes les trente secondes. De plus, j'avais un gros cul, la faute aux margaritas, et je n'étais pas terrible en bikini. Il était temps que je trouve un terrien.

Cet été-là, je me suis rendu compte qu'un coup d'un soir, le bien nommé, ne devait pas s'éterniser.

Débile et compagnie

Un été, avec ma copine Ivory, nous avons décidé qu'après tous nos excès de l'année scolaire nous méritions des vacances. La villa de mes parents à Martha's Vineyard étant libre jusqu'à la mi-juillet, nous avons proposé de nous y installer histoire de la surveiller.

Nous avons établi certaines règles. Après avoir discuté longuement de nos finances et de nos obligations, nous avons conclu qu'un travail ne nous laisserait pas assez de temps libre pour nous bourrer la gueule. À un moment donné, notre état de fauche a été tel que nous avons été obligées de faire des ménages. J'ai passé quinze minutes à frotter l'intérieur d'un chiotte, et je me suis rendu compte que la position penchée au-dessus de la cuvette n'était concevable qu'au lendemain d'une nuit bien imbibée de margaritas. Nous avons alors résolu de faire payer les mecs pour nos boissons et le minimum de bouffe requis.

Autre règle : nous devions bronzer au moins trois heures par jour et n'utiliser qu'une protection 2. J'ai expliqué à Ivory qu'on obtenait un plus joli teint sous l'eau, mais, malgré ses origines, elle n'avait jamais appris à nager. N'étant pas moi-même une naïade accomplie, j'étais incapable de l'aider. Je lui ai donc acheté deux flotteurs.

Nous avions emmené à Vineyard suffisamment d'herbe pour un mois. J'aimais marcher au hasch. Pendant le voyage, nous étions tellement défoncées que nous avons roulé tout notre stock et l'avons fumé le premier soir de notre arrivée. J'ai fait une fois la même chose avec des macaronis au fromage et je n'ai jamais recommencé.

Autre règle, et sans doute la plus amusante : photographier nos victimes d'abus sexuels. Nous avons pris des clichés de tous les mecs que nous avons ramenés à la maison.

Un soir, dans un bar, nous avons joué au billard avec deux types. Ivory et moi faisions équipe et je n'ai pas réussi à entrer une seule boule dans une poche. Jusqu'au moment où j'ai pris une boule dans ma main et l'ai lancée direct dans une poche. Les mecs m'ont imitée et le jeu s'est mis à ressembler à une partie de handball. Hélas, comme j'ai une mauvaise coordination, j'ai envoyé valser une boule dans un mur où elle est restée enfoncée. Peu de temps après, le barman nous a priés de déguerpir.

Du coup, rentrés à la villa, nous nous sommes beurrés et nous avons grimpé nos mecs dans nos baisodromes respectifs. En roulant sur la couche conjugale où j'avais sans doute été conçue, je lui ai retiré son teeshirt : il n'avait pas un poil sur le torse. Vu qu'il n'avait pas de marque de brûlures, j'en ai conclu qu'il s'était entièrement épilé lui-même. Il n'avait pas plus de poils dans son pantalon ou sur ses jambes.

— Où sont tes poils?

— Je me rase.

— Exprès?

J'ai commencé à avoir mal au cœur et j'ai même peut-être gerbé un petit peu, ce qui m'a donné un bon prétexte pour amorcer une manœuvre de retraite.

— Ça va? a-t-il demandé.

J'ai avoué en rougissant que c'était la première fois de ma vie que je buvais.

— L'alcool ne me réussit sans doute pas, ai-je menti.

— Peu importe, tu te sentiras mieux demain.

— Ouais, mais tu ne seras plus là.

Il a fallu que j'interrompe la partie de jambes en l'air d'Ivory pour qu'elle le raccompagne en voiture. Elle a un peu râlé, mais il manquait aussi à son mec quelques poils. Ou plutôt, ses cheveux. Dans le feu des préliminaires plumardesques, sa moumoute s'était envolée et avait atterri sur le fer à friser qui traînait par là – et qui resta d'ailleurs à poste tout l'été. Ivory ne détestait pas les vieux, mais pas au point de coucher avec des chauves. En fait, ce type n'aurait jamais remporté de prix à un concours de beauté. Quant à son classement à un concours de virilité, nous l'ignorerions toujours.

Quelques semaines plus tard, j'ai commencé à m'amuser avec Ma Tortue. J'avais pris l'habitude de donner des noms d'animaux aux types avec qui je sortais. Ensuite j'ai eu Mon Poulet, parce qu'il courait plus vite que son ombre. Puis, Mon Coq. Celui-là se levait dès potron-minet. Inutile de préciser que Mon Coq a fait long feu. Et qu'il n'avait aucun lien de parenté avec Mon Poulet.

J'aimais bien Ma Tortue. J'avais fait sa connaissance à la station-service où il travaillait. Il n'y avait qu'une seule toilette. Au moment où, penchée les fesses à l'air, je couvrais le siège de papier, la porte s'est ouverte en grand !

— Oh ! Désolé !

Et il a vite refermé. En sortant, je l'ai trouvé à côté de la porte, l'air gêné.

— Ce n'était pas mon meilleur profil ! j'ai lancé.

Et nous voilà tous les deux piquant un fard et partant d'un fou rire incontrôlable. Si bien que j'ai dû retourner aux toilettes.

— Tu m'as laissé du papier ? a-t-il demandé quand je suis ressortie des toilettes pour la seconde fois.

— Oui, un peu sur le siège.

On s'est formidablement bien entendus. C'était le genre de type pas compliqué et joyeusement porté sur la bouteille avec qui on peut s'éclater. Il était plus décontracté que le dalaï-lama. Un mignon petit mec du cru, parfait pour une aventure estivale mais pas plus. Il réparait les bicyclettes pendant l'été et ne fréquentait sûrement pas les bancs de la fac le reste de l'année. J'ajoute que mon neveu de six ans avait plus de vocabulaire que lui.

Ma Tortue avait un oncle, Marty, qu'Ivory s'est immédiatement envoyé. Il était propriétaire de la station-service et Ivory adorait l'odeur de l'essence.

Ainsi donc, nous étions deux petites juives du New Jersey scotchées à la station-service où nos jules bossaient. Nos parents auraient été fiers de nous. Pendant un mois, nous nous y rendions tous les jours après la plage. On regonflait les flotteurs d'Ivory à l'air comprimé et on regardait nos mecs réparer les voitures. En les attendant, on sifflait des limonades. Quand ils avaient fini, on allait dans un bar qui acceptait les fausses cartes d'identité. Notre tenue préférée : un Levi's coupé que nous portions taille basse et déchiré sur le côté. Parfois nous enfilions une chemise par-dessus, mais, si nous avions sauté le déjeuner, on ne mettait que le haut de nos bikinis.

— Nous vivons la fleur de notre jeunesse, m'a dit Ivory un jour tandis que nous regardions nos hommes travailler.

J'avais juste fini de faire le plein à un client.

— Ouais, j'ai approuvé en allumant une Marlboro. On ne peut pas faire mieux.

Un soir, dans un bar au sol couvert de sciure de bois, Ivory et Marty se sont bagarrés sec. Il lui avait reproché de trop biberonner.

— Ah bon, tu me traites d'alcoolo, maintenant, c'est ça ? a-t-elle hurlé.

Marty n'a pas élevé la voix. Je crois que son foie et lui avaient atteint le point de saturation. Pendant un mois, on avait picolé ensemble tous les soirs.

En bonne copine, j'ai décidé de me tirer avec Ivory. Hélas, j'ai glissé sur le parquet et, ayant atterri sur le derrière, je me suis enfoncée une écharde dans la fesse droite. Je tombe souvent, mais à part ça, je tiens bien l'alcool. Ivory, dès qu'elle est ivre, se met à bouffer ses mots. J'ai des tas d'amies comme elle. Du coup, j'ai l'air de mieux contrôler de la situation.

Le lendemain, Ivory a voulu aller à une réunion des Alcooliques Anonymes. Non, mais je rêve, j'ai pensé.

L'été se déroulait si bien. Alors, j'ai dû m'asseoir et lui expliquer que les AA sont pour ceux qui veulent s'arrêter définitivement de boire et que « alcoolique » est un vilain mot. Il suffit de passer une nuit dans une prison pour que tout de suite les gens vous collent une étiquette, j'ai dit. J'ai ajouté qu'elle n'avait pas de problème avec l'alcool et que, de toute façon, il n'y avait pas d'Alcooliques Anonymes à Martha's Vineyard. Du fait que c'était une île. Pur pipeau, mais Ivory adorait que je lui raconte des bobards, surtout pour la pousser à ne pas faire un truc qui l'embêtait.

Marty a téléphoné le matin pour s'excuser de je ne sais quoi. Tous les petits amis d'Ivory avaient ce genre de comportement. Pendant la nuit, ils se persuadaient qu'ils étaient dans leur tort. Mais c'était trop tard. Quand Ivory avait pris un mec en grippe, elle ne revenait jamais sur sa décision. Après une rupture, elle ne gémissait pas, ne se plaignait pas. Elle passait à autre chose. En revenant de son jogging matinal avec son nouveau jules, elle a annoncé qu'on en avait terminé avec la classe ouvrière. J'étais d'accord. J'en avais plus qu'assez de m'entendre crier « Ma Tortue » dans le feu de l'action.

— On va essayer les Latinos, m'a-t-elle annoncé.

— *Salud* ! ai-je fait en levant mon verre de Slim-Fast. On va enfin retourner à tes racines.

Son nouveau mec, Jorge, ne connaissait pas un mot d'anglais. Coup de bol, il avait un ami. Qui était dans le même cas. Deux magnifiques créatures. Des amants latinos sophistiqués qui ont cuisiné pour nous quinze jours durant. Ils nous ont fait connaître la salsa, la sangria et l'art de communiquer par *los ojos*.

Débile et compagnie

Le mien s'appelait Héctor, qu'il prononçait « Hiiiic-tor ». On ne pouvait pas se parler, mais il était gentil et nageait bien. On se pelotait pendant des heures sans jamais aller plus loin. La seule fois où j'ai essayé de baiser avec lui, on était sous la douche. J'étais assise sur le petit banc et il a pris mes mains pour m'attirer contre lui. En me levant, j'ai glissé et je me suis cogné la tête. J'avais bien essayé de me retenir à sa queue, mais en vain. Après ça, on a décidé d'en rester là.

Jorge, en revanche, est tombé amoureux d'Ivory au point de la demander en mariage. Je n'ai jamais compris pourquoi tous les mecs voulaient l'épouser. Tous étaient dingues d'elle. C'est vrai qu'Ivory était bandante et marrante, mais les bonshommes se condui-saient comme si son vagin embaumait la rose.

En tout cas, Ivory a accepté, comme elle le faisait toujours, jusqu'à ce qu'elle ait dessoûlé et compris que Jorge n'en avait qu'après un visa.

Le lendemain, la police de Martha's Vineyard nous a téléphoné pour nous demander si nous savions où se trouvait un certain Jorge Menéndez recherché pour vol de voitures. Pas étonnant que les deux types aient cui-siné pour nous.

J'ai dit aux flics que mes parents étaient absents et que notre jardinier s'appelait Alejandro. Et qu'à part lui je ne connaissais personne d'origine hispanique.

J'ai ensuite expliqué à Ivory que notre été amoureux était terminé et qu'il fallait vider les lieux. On a fait nos sacs, téléphoné chez nous et expliqué à nos parents qu'on avait le cafard. Traduisez : on voulait « fiche le camp ».

Avec Ivory nous avons discuté de notre avenir. Nous avions vingt ans, nous détestions nos études autant que le New Jersey, et nous avons décidé qu'il était temps de nous ouvrir à de nouveaux horizons.

— La Californie te botte ? a demandé Ivory. Tu pourrais devenir actrice et moi, je prendrais un vrai boulot.

— Enfin, du sérieux, ai-je grogné.

Et nous sommes parties.

Devine qui saute par la fenêtre?

« *Schwartzer* » est le terme que pap's utilise pour parler des Noirs. C'est un mot d'argot yiddish qui veut dire « noir », « coloré » ou « nègre ». Si vous discutez avec lui, pap's jurera ses grands dieux qu'il n'y a pas une once de racisme en lui. « La preuve? J'adore les Noirs, ce sont des employés modèles, dira-t-il. De plus, ce sont les meilleurs coureurs du monde. » C'est lui encore, qui, dans les années 1980, en voyant un couple noir au cours d'une réception, s'est approché de la femme pour lui demander si par hasard elle ne viendrait pas faire le ménage à la maison.

Mon premier Black, je l'ai connu à l'IUT que je fréquentais. J'étais assise à côté de Tyrone en classe d'histoire russe. Notre prof avait un sacré un accent slave et il parlait plus de ses enfants que d'histoire. Pour notre examen trimestriel, nous avons eu à répondre à des questions sur sa vie personnelle – où il était né, à quel âge il avait fait de la bicyclette sans petites roues. Avec Tyrone, nous nous moquions du professeur Beregova et de ses airs suffisants, mais les autres étudiants aimaient sa façon d'enseigner.

— Dans une fac normale il serait viré, m'a dit Tyrone après un de nos cours. Personne ici ne trouve ça bizarre ?

— Je suis bien d'accord. Et dire que nous sommes dans l'un des dix meilleurs IUT du pays.

Quand j'ai invité Tyrone à dîner à la maison, pap's a essayé de faire comme si de rien n'était, mais il ne cessait de l'observer du coin de l'œil. Quand nous nous tenions la main, il se crispait et détournait le regard. J'ai eu une folle envie de le garder pour la nuit, sachant qu'il n'oserait rien dire. Dans son désir de passer pour daltonien, il lui aurait sans doute proposé de lui prêter un de ses pyjamas. Par contre, s'il avait été blanc, pap's aurait fait une scène en public. Les seuls sujets de conversation que pap's a abordés avec Tyrone ? Le football, le basket. Et l'esclavage.

Tyrone et moi avons cessé de nous voir quelques mois plus tard quand il s'est inscrit dans une meilleure fac dans le Michigan. Le jour où j'ai annoncé la nouvelle à pap's, il a fait semblant d'être déçu.

— Dommage ! Il était sympa. Pas trop sombre. Il aurait pu passer pour un Colombien.

— Pourquoi aurais-tu voulu qu'il se fasse passer pour un Colombien ?

— Ne commence pas avec tes histoires de racisme, vu ? Les *Schwartzers* ont beaucoup de courage. J'adore les Noirs. Les chiens ne les aiment pas, mais moi je n'ai rien contre eux. Regarde Oprah [1].

---

1. Célèbre vedette de la télévision.

— Tu es trop gentil, pap's. Et tu es vraiment doué pour manier les mots. Tu devrais penser à faire carrière dans la politique.

— Ma foi, je pourrais faire pire. Ce n'est pas la première fois qu'on me le dit. Et tu n'es pas la dernière.

Tyrone avait été mon premier Black et j'avais pris goût à la chose. Aussi, pendant les deux mois qui ont précédé notre départ pour la Californie, j'ai commencé à chater avec Jerome sur le Web. J'avais fait sa connaissance sur chocolatecélibataire.com. Mais il vivait chez ses parents, et j'ai dû attendre que mes vieux s'absentent pour organiser notre premier rendez-vous. Mes frères et sœurs avaient tous quitté la maison, j'étais la petite dernière. Jerome et moi avons échangé nos photos. En voyant à quoi il ressemblait, j'ai su immédiatement que j'allais me le farcir.

Nous sommes convenus d'un dîner et d'une toile, ce que j'avais suggéré histoire de ne pas avoir l'air de lui sauter dessus.

Nous nous sommes retrouvés dans un restaurant près de chez moi. Hélas, le jour même, j'avais trafiqué ma frange – et le résultat était catastrophique. Pour résumer, je donnais l'impression de m'être bagarrée avec une paire de ciseaux crantés et d'avoir perdu. J'ai donc casé ce qui restait de ma frange dans une barrette fixée au-dessus de mon front, à la hauteur de mes racines. Ce n'était pas terrible mais, en étant optimiste, on pouvait trouver que mes mèches, rejetées en arrière, me donnaient une mine plus éveillée.

Jerome m'attendait à une table. Un mètre quatre-vingt-deux, beau comme un camion, un corps à se damner. Il avait vingt-cinq ans, les cheveux ultra-courts, des yeux marron et un grand sourire décontracté. Bref, dix fois mieux qu'en photo.

— Jerome ? j'ai demandé bêtement comme s'il n'était pas le seul Black de l'endroit.

— Salut !

Il s'est levé et m'a donné un baiser sur la joue. Sa peau incroyablement douce avait la couleur du beurre de cacahouètes Reese. Je n'en revenais pas qu'il soit si beau. S'il n'avait pas vécu chez ses parents, je l'aurais adopté. Il a regardé ma barrette une ou deux fois, ce qui m'a fait piquer un fard. À l'évidence, il se demandait ce que j'avais fabriqué.

J'étais furieuse contre moi. Quelle conne j'étais ! Il fallait que lui raconte quelque chose pour le tranquilliser.

— J'ai eu un petit accident.

— Vraiment ?

— Oh, rien de sérieux. Je fais du volontariat pour une association qui s'occupe d'enfants défavorisés et un petit garçon a mis le feu à mes cheveux. Un gosse caractériel. Enfin, c'est une triste histoire.

— Mon Dieu, tu as été blessée ?

— Non, non, dis-je, soulagée de voir qu'il avalait mon bobard. Quand je me suis regardée dans la glace, je me suis traitée d'idiote, mais je me suis fait surtout du souci pour Linus.

— Quel âge a-t-il ?

À quel âge un gamin peut-il être pyromane ? J'ai réfléchi en vitesse.

— Sept ans, mais avec des problèmes.

D'où me venaient ces mensonges? Je l'ignorais. Mais impossible de m'arrêter. Jerome m'intimidait tellement que j'ai sorti cette histoire qui, j'en étais sûre, nous donnerait un bon sujet de conversation.

Dans le quart d'heure suivant, Linus avait eu un frère siamois qui n'avait pas survécu à l'opération. Quant à sa mère, elle avait voulu le vendre aux enchères sur eBay.

— Je ne savais pas qu'il y avait une association pour les enfants défavorisés ici, a dit Jerome.

Je n'avais jamais mis les pieds dans une association de ce genre, mais je n'allais pas le lui avouer.

— Mais si, il y en a une dans le centre commercial.

— Vraiment? Comme c'est bizarre.

— Elle vient d'ouvrir.

Il fallait que j'arrête de mentir à un moment donné, mais comment? Changer de sujet et boire un coup m'ont paru être la bonne solution.

Je n'avais pas encore l'âge légal pour boire, mais j'avais une carte d'identité avec ma photo et les coordonnées de ma sœur Sloane. Ma mère m'avait donné l'extrait de naissance de Sloane pour mes dix-huit ans : je lui avais expliqué que j'en avais besoin pour m'intégrer à l'IUT. Elle avait accepté de m'aider à assouvir mon penchant pour l'alcool. À une condition : je ne devais jamais dire à ma sœur, qui venait de se faire mormone, que j'avais volé son identité.

— Ça va? Tu as l'air...

— Je suis très bien.

Si seulement je pouvais me calmer une minute, je retrouverais mes esprits. J'ai appelé le serveur et commandé une vodka et jus de canneberge. Jerome a demandé un verre d'eau glacée. Oh, merde ! ai-je pensé.

— Tu ne veux rien de plus fort ?

— Je ne bois pas.

Un vrai désastre ! Pourquoi ne buvait-il pas ?

— Tu ne bois jamais ? ai-je insisté.

— Je n'aime pas le goût de l'alcool. Mais ça ne veut pas dire que je n'aime pas prendre du bon temps.

— Tu es sûr que tu ne veux pas au moins une bière ?

— Sûr et certain.

Le dîner allait être long. Je n'étais jamais sortie avec un mec qui ne buvait pas.

Si Jerome était affilié aux Alcooliques Anonymes, il allait vouloir me recruter. Je devais en avoir le cœur net.

— Tu fais partie de l'AA ?

Ma question sous-entendait que si c'était le cas et si ça le gênait que je boive, je m'arrêterais. Je n'en pensais pas un mot. Mais je voulais lui montrer que j'avais des manières. Au même instant, j'ai imaginé la scène suivante : je parraine Jerome à l'AA et j'attends le soir où il m'appelle pour me dire qu'il veut boire un coup. Je sauterais en l'air et rugirais dans le téléphone : je t'en prie, viens !

Revenant sur terre, je l'ai entendu me déclarer :

— Non, non ! Bois ce que tu veux, ça m'est égal.

Je ne me le suis pas fait dire deux fois. Après mon cinquième verre, j'ai commencé à redevenir moi-même, ce qui signifiait que j'ai saupoudré mes histoires de demi-mensonges au lieu de les inventer de toutes pièces.

Devine qui saute par la fenêtre ?

Jerome était un étudiant de troisième année de droit à Setton Hall. Son père et sa mère étaient propriétaires d'un magasin de chaussures à Secaucus, dans le New Jersey.

— Formidable ! J'adore les pompes.

Que faisait avec moi ce type bien sous tous rapports ? Il adorait ses parents et parlait de sa mère comme tous les hommes devraient le faire. C'était adorable de l'entendre. Quand nous serions mariés, j'espérais qu'il aurait pour moi la même estime.

J'ai songé à ne pas coucher tout de suite avec lui, car je voulais qu'il me respecte, mais il m'était impossible de me contrôler. Il était trop chou. Et si je me contentais de sortir avec lui, au bout d'un moment, il finirait par me haïr.

— Et si on laissait tomber le cinéma ?

— Comme tu veux !

— Mes parents se sont absentés. On pourrait aller à la maison et traîner un peu.

— On pourrait.

Il m'a suivie dans sa voiture qu'il a garée dans la rue. Comme tous ceux qui venaient à la maison pour la première fois, il m'a demandé pourquoi il y avait tant de voitures dans l'allée.

— Mon père a une sale manie. Il est incapable de vendre tous ces vieux tacots. Si tu veux, je peux t'obtenir un prix d'ami pour un break Buick 85 sans moteur.

— Aucun ne roule ?

— Si, un ou deux. Mais personne n'a envie de s'y risquer.

— Bon sang !

Il a fait une drôle de tronche. La même que notre voisin quand il appelait la police pour leur signaler que notre allée débordait de vieilles caisses.

Nous nous sommes posés dans notre pièce à vivre. J'ai branché la télé et me suis servi un mélange de vodka et de Tang à l'orange. Lui, n'a voulu qu'un Coca. On se serait cru à un goûter d'enfants. Comment allait-il faire le premier pas s'il ne picolait pas ? Je pouvais prendre les devants, mais la question était : est-ce qu'il a autant envie de moi que j'ai envie de lui ?

Il était neuf heures. Nous avons regardé une cassette des « Vidéos les plus drôles de l'année ». J'aurais bien mis un film porno que j'avais volé à mon frère, mais qu'aurait pensé Jerome ? Que j'étais obsédée ? Quand mon frère avait quitté la maison pour suivre des cours de cuisine, il avait laissé cinquante films porno soigneusement cachés dans l'armoire à linge. De temps en temps, il téléphonait à ma mère pour lui demander de lui envoyer l'une de ses vidéos. Comme les films n'étaient plus dans leurs boîtes, seuls les titres trahissaient leur contenu. Une fois, ma mère m'a demandé si j'avais vu *Kristen visite le Kentucky* ?

— Oui, c'est l'histoire d'une fille tiraillée entre deux amants. Littéralement.

— Ton frère doit l'adorer, il en a besoin.

Jerome et moi avons commencé à nous rapprocher l'un de l'autre. Il me caressait la jambe quand j'ai posé ma tête sur ses genoux et l'ai regardé.

— T'es vraiment mignon !

Il a ri et m'a embrassée. Enfin, il se bougeait. Il avait les lèvres les plus douces et il sentait Drakkar. J'adore, j'adore, j'adore Drakkar! J'ai mis mes bras autour de son dos et me suis retenue à son corps de joueur de rugby. Il était musclé partout. En glissant ma main sous sa chemise j'ai senti ses super-abdos. Ce type était dans une forme incroyable et sa peau siiiii douce.

J'étais tellement excitée que j'ai eu du mal à me contrôler. Reste calme, je me disais, et surtout n'oublie pas de rentrer le ventre. Comme je voulais qu'il croie que j'étais en aussi bonne condition physique que lui, j'ai pris la position la plus flatteuse : horizontale.

Il s'est allongé sur moi et s'est mis à me peloter. C'est alors que j'ai senti une sorte de troisième jambe. Un changement de position m'en a donné la confirmation.

— C'est ta queue?

Il a rigolé et a continué à me caresser.

— Sérieux! C'est vraiment ton machin?

Il m'a regardée droit dans les yeux.

— Oui, absolument.

— Désolé, mais t'es trop grand.

Une de mes amies avait pleuré en baisant. Je savais maintenant pourquoi.

Il s'est écarté.

— On peut continuer à se tripoter, si tu veux. Mais pas question de coucher.

— Parce que tu crois que j'ai envie de coucher avec toi! a-t-il répliqué aussi sec.

Vu la bombe à retardement qui grossissait dans son pantalon, c'était plutôt évident.

— Bon sang, ai-je dit, ne prends pas ça mal. Au cas où tu en aurais eu envie, moi je ne peux pas.

Il aurait fallu être le Lincoln Tunnel pour accueillir un tel machin.

— Oh, tu n'es pas la première! a-t-il fait d'un air résigné.

— Vraiment. Je suis désolée, mais tu es trop gros. T'es monté comme une navette spatiale.

J'étais navrée qu'il soit navré.

— On peut monter dans ma chambre et faire autre chose.

Par là, je voulais dire dormir, de peur que sa chose sorte de sa coquille et passe à l'attaque.

Une fois en haut, on s'est sucé la face et on s'est caressés un max et voilà tout. Il a dû jouir dans son pantalon, car il est tombé comme une masse dans les trente secondes.

Vers huit heures, le lendemain matin, j'ai entendu des bruits venant de la cuisine. Ma chambre se trouve presque à côté.

C'était pap's qui parlait à Pied-Blanc, notre chien.

— Oh le gentil chien-chien juif qui a été sage comme une image pendant le trajet! Oui! Est-ce qu'il veut aller à l'école hébraïque comme tous les autres gentils chiens-chiens du voisinage? Oh, le gentil chien-chien! Le gentil chien-chien!

Merde! Les parents étaient rentrés. J'ai jeté un coup d'œil à Jerome qui dormait à poings fermés. Je me suis levée en vitesse pour fermer ma porte à clé. Après avoir cogité, j'ai enfilé des fringues et je l'ai réveillé.

— Jerome, j'ai murmuré, mes parents sont revenus.

— Oh, merde! Je croyais qu'ils étaient à Martha's Vineyard?

Devine qui saute par la fenêtre?

Il a bondi du lit.

— Ils y étaient. Je ne sais pas pourquoi ils sont revenus si tôt. Bouge pas! Je vais voir quand ils repartent.

Pour décamper par la porte d'entrée, Jerome était obligé de passer par la cuisine. Horrible perspective! Je suis sortie de la chambre.

— Te voilà! Bonjour, trésor, quoi de neuf?

Pap's était de bonne humeur et je ne voulais pas que cela change.

— Que fais-tu ici? ai-je demandé d'une voix endormie pour lui cacher que j'étais bel et bien réveillée.

— À Vineyard on a fait la connaissance d'un couple qui veut acheter une voiture pour leur fils qui part pour l'université. Je leur ai dit que j'étais concessionnaire. Je vais donc leur ramener cette jolie petite Civic qui est dans l'allée.

Comme si j'avais pu éviter pendant des mois cette bagnole bleue avec une des portières repeinte en rouge. Il a ajouté que c'était un vrai bijou et une bonne affaire.

— Ces petites voitures sont increvables.

— Elle va démarrer, tu crois?

— Évidemment. Elle a juste besoin d'un petit coup de main. Je vais faire la vidange et j'y retourne aujourd'hui.

Tous mes putains de bons vœux! ai-je eu envie de dire. J'ai préféré demander:

— Maman est restée dans l'île?

— Oui, trésor, et tu lui manques affreusement. Tu vas me suivre avec ta voiture là-bas, comme ça tu pourras nous ramener.

— Quand ça?

Avant qu'il ait pu me répondre, on a entendu un grand bruit sur la terrasse. Je n'ai jamais parlé à Lato Kaelin, mais il a dû entendre le même genre de bruit quand O. J. Simpson s'est glissé dans la maison après avoir tué Nicole et Ron (ou pas).

— C'était quoi, ce boucan ? s'est inquiété pap's. Pied-Blanc, qui en avait recraché son bagel au cream cheese, s'est mis à aboyer et à foncer vers l'entrée.

— Je n'ai rien entendu, pap's !

— Ne fais pas l'idiote, trésor ! Bien sûr que tu as entendu, a-t-il dit en se dirigeant vers la porte.

Je l'ai suivi, réfléchissant à ce que je pouvais faire pour l'empêcher d'assister à ce qui ressemblait fort à la fuite de Jerome. Mais je n'ai rien trouvé.

Quand pap's a ouvert la porte, nous avons été témoins du spectacle suivant : Jerome, torse nu, cavalant sur la pelouse, puis sautant dans sa voiture et démarrant sur les chapeaux de roues.

— C'était quoi, bordel ?

J'ai contemplé le ciel.

— Bon Dieu, Chelsea. Qu'est-ce que tu as encore fabriqué ?

Mes relations avec mon père ont commencé à notoirement déconner quand, à quinze ans, j'ai appelé la police pour me plaindre des sévices sexuels qu'il me faisait subir. Bien sûr, il ne m'avait jamais touchée mais, comme je donnais une fête pendant le week-end, j'avais besoin qu'il dégage. Il y avait longtemps qu'il ne m'avait pas giflée, un de ses gestes de prédilection, mais je n'étais pas tranquille. Deux mois plus tôt, il avait piqué une méga crise – genre King Kong en fureur. Toutes les jardinières de notre terrasse avaient valsé dans le jardin avec les fleurs, les plantes et la terre. Tout ça parce que ma mère avait caché la télécommande et qu'il était trop paresseux pour se lever et changer les chaînes à la main.

Je me suis écartée de lui aussi vite que possible et je suis montée me planquer dans ma chambre. Pap's m'a suivie illico.

— Chelsea, tu n'es pas possible. Vraiment. J'ai envie de le dénoncer à la police. Je suis sûr qu'il conduisait une voiture volée.

— Pas du tout, ai-je répliqué de derrière ma porte. Elle n'était pas volée, espèce de raciste. Elle lui appartient.

— Bon Dieu, Chelsea, ouvre cette porte ou je la défonce. C'est incroyable que tu sortes avec un tas d'étrangers ! Tu connais ce type ?

— Bien sûr. On a fait connaissance sur le Web.

— Bon Dieu ! J'ai encore une chose à t'apprendre, Chelsea. Si tu veux que les gens te respectent, tu ne peux pas t'offrir au tout-venant.

— Ah ouais ?

Qu'est-ce qu'il voulait ? Que je *vende* mon cul ?

J'ai hésité à lui dire qu'on n'avait pas couché ensemble parce qu'il avait une trop grosse queue, mais je n'étais pas certaine d'avoir le droit de prononcer le mot « queue ». En revanche, vu la manière dont il venait de me traiter, « salope » était autorisé. En me retournant, j'ai aperçu la tête de pap's dans l'encadrement de ma fenêtre.

— Aaaah ! j'ai crié.

Même avec un chausse-pied, il aurait eu du mal à passer son énorme tête par l'ouverture, mais ça ne l'a pas empêché d'essayer.

— Écoute-moi bien, espèce de casse-bonbons ! Ta mère et moi en avons soupé de tes conneries. On en a marre que tu traînes avec des mecs bizarres, que tu sois nulle en classe, que tu ne trouves pas de boulot. Tu espères quoi de la vie ?

Entendre pap's débiter ses insultes m'a donné envie de lui envoyer une boule de neige souvenir en pleine poire, mais je n'en avais pas sous la main.

— Allez, prépare tes affaires. On part dans deux heures pour Vineyard et tu me suivras au cas où je tomberais en panne avec la Civic.

Sur ce, il est rentré dans la maison.

Au bout de deux heures et demie de route, pap's a crevé. Je me suis arrêtée derrière lui et je l'ai regardé se dépatouiller avec le crick. Un instant plus tard, un 4 × 4 Toyota s'est rangé et un Black en est sorti. Je suis descendue aussi.

— Monsieur, vous désirez que je vous aide à changer votre roue ? a-t-il proposé.

— Avec plaisir, a répondu mon père. Je me demande ce qui est arrivé. Si on installe la roue de secours, je vais pouvoir faire vérifier ce pneu.

Encore une preuve du délire automobile paternel. Le pneu méritait davantage la benne à ordures qu'une « vérification ». Quand il s'est aperçu que je reluquais ce Black plutôt beau mec, il m'a dit :

— Chelsea, retourne dans ta bagnole et tiens-toi tranquille.

Devine qui saute par la fenêtre ?

Le type nous a regardés un peu ébahi, puis il s'est accroupi pour desserrer les boulons.

En arrivant à Vineyard, pap's a mis ma mère au courant.

— Je prenais mon petit déjeuner avec Pied-Blanc et devine qui sort de sa chambre comme une fleur ? Ta fille Chelsea. Et, avant d'avoir eu le temps de faire ouf, j'entends ce *Schwartzer* qui saute de la fenêtre et vole une voiture.

— Pap's, la ferme ! Tu sais très bien qu'il n'a jamais volé cette voiture, c'était la sienne.

Ras le bol qu'il remette encore ça.

Ma mère est venue s'asseoir à côté de moi.

— Melvin, fiche-lui la paix !

— Et c'est reparti pour un tour, s'est exclamé pap's. Maman adore sa Chelsea et papa est le vilain méchant. Je suis toujours le pigeon. Je vois bien ce qui se passe. C'est l'heure de taper sur moi, hein ? Je suis le plus horrible papa au monde.

Je voulais que cette discussion se termine. Surtout, je voulais qu'il cesse de parler de lui en s'appelant « papa ». Ça me fichait les boules. Mon frère Greg a débarqué à ce moment-là en me faisant un signe d'approbation.

— Bravo, Chel ! T'as bien fait.

— Greg, arrête de prendre le parti de ta sœur, a dit pap's. Chelsea, il faut que tu te fixes des priorités. Arrête de glander. Tu ne fais rien de tes journées à part regarder tes émissions à la télé ou téléphoner à tes copines. Et, bon Dieu, arrête de sortir avec des Blacks. Tu les aimes tellement ? Ou c'est juste pour m'emmerder ?

47

— Oh, ils ont la réputation d'avoir de gros engins ! est intervenu Greg.

J'ai bondi hors de la pièce avant que pap's n'explose de rage. Mon frère et ma mère ont rappliqué sur mes talons et nous avons tous sauté dans la voiture de Greg pour aller en ville manger des glaces.

Pap's n'a pas dit un mot pendant quarante-huit heures. Puis il a rapporté trois cageots de myrtilles. Mon fruit favori. Il les a laissés sur le comptoir de la cuisine avant de rentrer dans le New Jersey.

Mon petit Pepito

Tout le monde conviendra que coucher avec les gens est une excellente façon de faire connaissance. Plus précisément, coucher avec des nains est le moyen parfait pour connaître des nains.

Baiser avec un nain offre un autre avantage. Quand c'est fini, on peut s'en servir comme oreiller. Ces petits nains ont la belle vie. Quand j'en vois un, j'ai envie de lui courir après. Non pas pour lui faire peur, mais pour le serrer contre moi et lui faire des câlins. Et puis ils sont pratiques pour resquiller dans les files d'attente.

En résumé : si quelque chose vous fait vraiment envie, il faut y aller franco.

Voici ce dont je me souviens. Je suis allée à une soirée à Cabo San Lucas au Mexique. Je vivais depuis un an en Californie avec Ivory et j'allais retrouver mes sœurs pour une semaine de vacances. Mais elles ne devaient arriver que le lendemain. J'adore disposer d'une suite dans un hôtel pour moi toute seule.

À la piscine, j'ai rencontré un couple qui m'a invitée à une fête pour célébrer le Cinco de Mayo. Les margaritas couleraient à flot. Génial !

Les couples les plus sympathiques ont toujours des tas d'ennuis. Logique, non? Ils sont si malheureux ensemble qu'ils vous trouvent fabuleux.

Dès que ces deux-là ont cessé de me poser des questions sur mon juif de père et ma goy de mère, ils se sont mis à s'injurier. Ils n'arrêtaient pas de se disputer. À vrai dire, je m'en fichais. C'est mieux que de contempler un couple qui ne cesse de se dévorer des yeux. Une de mes colocataires et son copain passaient leur vie à se regarder dans le blanc de l'œil. Il était terriblement sentimental, n'arrêtait pas de lui déclarer son merveilleux amour, lui composait des poèmes. Je suis persuadée que si les mecs écrivent des poèmes, ça cache quelque chose : un dos poilu ou une seule couille. Non pas qu'une couille unique soit un problème. Vous en connaissez beaucoup, vous, des femmes qui meurent d'envie d'en tenir une paire dans leurs menottes? À mon avis, moins les hommes ont de couilles et mieux c'est.

En tout cas ces deux-là n'étaient pas du genre à se regarder avec adoration. Ils s'engueulaient sur tout et n'importe quoi, tandis que je me faisais rôtir au soleil. Ma mère venait de m'envoyer une de ces trousses de voyage contenant des flacons sans étiquettes pour y mettre shampoing et crèmes. Cela évite de se trimbaler avec de grosses bouteilles qui peuvent couler. Pendant mon enfance ma mère m'oubliait des heures entières au centre commercial ou à l'école hébraïque. Mais quand j'ai eu vingt ans, elle s'est mis en tête de faire mes valises! Bref, ce que j'avais pris pour de la crème antisolaire était en fait un onguent pour les pieds. D'où son odeur si âcre.

Mon petit Pepito

J'avais déjà eu l'air d'une conne dans ma vie. Mais personne ne m'avait encore traitée de « conne » comme ce couple d'inconnus. J'ai décidé de m'habiller en blanc pour aller à cette soirée, une façon de mettre en valeur mon teint écarlate et de me faire remarquer. C'était à cinq minutes de l'hôtel, dans la maison au bord de l'eau d'un millionnaire. Les gens s'éclataient. Ils dansaient la salsa autour de la piscine, tandis que les vagues s'écrasaient en contrebas. Des danseuses du ventre s'exhibaient sur les balcons. Il y avait des sculptures en forme de verres de margaritas faites en margarita glacée et les invités ont commencé à se déloquer. Tout le monde était incroyablement gentil, d'où un léger soupçon qu'il devait y avoir de l'ecstasy pas loin. Moi, je me suis abstenue, car je ne connaissais personne et j'avais pour règle de ne pas me droguer quand j'avais la peau en feu. L'alcool, en revanche, ne me dérangeait pas.

Soudain je l'ai vu. Mon petit nain, portant un sombrero plein de chips et de sauce piquante sur la tête ! Je n'avais jamais rien vu d'aussi adorable. Il était torse nu, habillé seulement d'un tablier et d'un pantalon blanc. Le comble du bonheur ! J'ai cru que j'étais morte et montée au paradis.

Nous sommes restés ensemble toute la soirée. Je n'ai pas cessé de le serrer contre moi. C'était le nain le plus drôle du monde. En vérité, à l'exception de mes chats sur Internet, c'était la première fois que je passais du temps avec un nain. Il avait des petites mains craquantes, une voix aiguë et la forme d'une sphère parfaite. Il n'a pas arrêté de me raconter des histoires racistes et j'en redemandais encore et encore. À un

51

moment, je l'ai envoyé promener, le temps de reprendre mon souffle tant j'avais mal au ventre. Chaque fois qu'il riait, il me donnait de petites tapes sur la poitrine, en me laissant partout des empreintes qui ressemblaient aux pattes d'un chiot. Et puis il s'est mis à aboyer. J'adore les mecs qui ne se prennent pas au sérieux. Celui-là était en plus un malin petit coquin. Il me filait sans arrêt des verres de tequila. Je le voyais grandir, grandir, grandir.

Il s'appelait Eric et venait de Cleveland. J'avais envie de le surnommer « Pepito », mais j'ai décidé d'attendre d'être un peu plus intime. Il s'était installé au Mexique après avoir obtenu son diplôme d'embaumeur et son intention était de faire la fête une année entière. Avant de s'engager dans ce qui lui paraissait une vie active plutôt macabre, il voulait prendre du bon temps.

On a parlé et dansé. J'ai voulu le soulever, mais il était trop lourd. Sa mère était également naine, son père était de taille normale. Ce type devait aimer les petits modèles car, avant d'épouser la mère d'Eric, il s'était marié avec une autre naine. Elle l'avait trompé avec un mec de sa taille à elle et il s'était tiré. Pour aimer autant les naines, son père doit être un type épatant, ai-je pensé. Et large d'esprit.

Mes coups de soleil combinés à mes quatorze margaritas me sont montés à la tête. Je suis tombée dans une sorte de brouillard et c'est seulement à l'aube que j'ai récupéré quatre-vingt-dix pour cent de mes facultés.

En me réveillant, j'ai d'abord aperçu deux petits pieds courant sur le carrelage en terre cuite vers la salle de bains. Comme j'étais totalement dans les vaps, j'ai d'abord cru que j'avais eu un bébé. Puis j'ai glissé ma main sous le drap. J'avais encore ma petite culotte. Impossible d'accoucher en gardant sa petite culotte, hein?

J'ai alors entendu un bruit. Comme si quelqu'un venait de sauter du siège du cabinet pour atterrir sur le sol.

— Ouah, ce carrelage est froid! a fait une voix gonflée à l'hélium.

Cette voix haut perchée m'a mise sur la piste. Les choses me sont revenues et ce n'était pas réjouissant. La tête me tournait, la sinistrose me gagnait. Je ne savais pas si cela allait mal tourner, mais j'étais sûre d'une chose : Eric devait partir. Mais avant, il fallait que je sache si je m'étais tapé un nain. Et j'ai préféré le savoir tout de suite.

Puis je l'ai vu. Son machin avait la taille d'un boa constricteur. Incroyable! Je suis restée bouche bée, incapable de détacher mes yeux, horrifiée par ce spectacle.

— On a baisé?

— On peut si tu veux, a rétorqué Eric.

Ma foufoune s'est immédiatement fermée comme une huître. J'ai eu peur pour moi et pour copine craquette. Pourvu qu'on rompe pacifiquement, j'ai pensé.

— T'étais complètement paf hier soir, a-t-il craché d'un ton méprisant.

Bon, rien n'échappait à ce mec.

— Écoute, Columbo, on a baisé ou pas?

— Oh, ça dépend de ce que tu entends par là.

Il me tapait de plus en plus sur les nerfs. Tout ce que je lui avais trouvé de gentil s'était évaporé avec les effets de la tequila. Ce matin, je le trouvais moche. Aurais-je le dessus si on se bagarrait ? Étais-je assez forte pour batailler avec un nain ?

Voyant que j'étais en colère, il s'est dépêché de répondre.

— Non, je t'ai fait des petites gentillesses et tu es tombée raide.

Merci, l'alcool ! Imaginer son engin dans ma petite demoiselle m'a fichu les boules. Rétrospectivement.

Mes sœurs ont alors débarqué.

Elles forment un duo intéressant. L'une est mormone, l'autre est normale.

Avec Sloane, la mormone, j'ai eu une relation difficile. Elle croit dur comme fer que je lui ai volé son âme en naissant. Elle avait alors cinq ans et s'était attribué le trône de la benjamine de la famille, sans songer qu'elle pourrait avoir de la concurrence. Soudain, elle s'est sentie rejetée dans une sorte de désert affectif où elle ne pouvait plus se faire entendre ni recevoir les hommages qui lui étaient dus. Pour se distinguer du lot, à vingt ans, elle est devenue mormone. Une façon d'affirmer sa personnalité. Dans la mesure où tout le monde, désormais, la traitait de cinglée, elle avait parfaitement réussi. Peu à peu, l'âge aidant, nous nous sommes rapprochées, mais Sloane a gardé cette mauvaise habitude de me juger. L'idée que je couche avec un nain l'aurait fortement perturbée. Sydney, l'aînée, a toujours été ma seconde mère. Pendant mon enfance, c'est elle qui venait me chercher à l'école hébraïque quand les parents m'y avaient oubliée. Elle qui me demandait le numéro de téléphone des amis chez qui je passais la nuit. Ma mère, elle, était bien trop relax. Si, à dix ans, je lui avais dit que j'allais faire du trekking dans l'Himalaya pour le week-end, elle m'aurait dit de bien m'amuser et de téléphoner à mon retour.

Dans la famille, j'ai la réputation d'être une jouisseuse, mais se taper un nain risquait de pousser le bouchon trop loin. Et même en racontant la vérité haut et fort, j'aggraverais mon cas. Pour éviter que mes sœurs ne me fassent la gueule tout le reste de la semaine, je devais me creuser les méninges.

Je me suis précipitée à leur rencontre dans le salon pour leur expliquer que si un nain se promenait nu dans ma chambre, c'était la faute des employés du room service. Ils avaient mal compris ma commande.

Elles m'ont regardée avec un air écœuré.

Eric s'est échappé tandis que je faisais patienter mes sœurs dans le salon. Bien sûr, j'ai engueulé Sloane qui avait choisi un hôtel qui pourvoyait ce genre de service.

— Tu sais, je trouve ça abject !

Pendant tout le séjour, elles n'ont cessé de ricaner chaque fois qu'elles voyaient un type de moins d'un mètre soixante, ce qui, au Mexique, est fréquent.

— Chelsea, m'a répété Sloane, cette fois-ci tu es tombée bien bas.

— Littéralement, surenchérissait Sydney.

Et elles partaient d'un rire hystérique, suivi de grognements dédaigneux. La morale de ces vacances : les nains, ça va pour une fête, mais autant s'en tenir là.

Desperado

Avez-vous déjà enduré une douleur si atroce que vous en ayez eu le souffle coupé ? Vous n'oseriez la souhaiter à votre pire ennemie ni la refiler à qui que ce soit de peur que la personne n'en meure. C'est la douleur de la trahison, la trahison du mec dont vous étiez amoureuse. Ce n'est pas aussi grave que la mort, mais pas loin et ça y ressemble. D'ailleurs, j'ai appris que la souffrance, d'où qu'elle vienne, était insupportable.

J'ai surpris Peter, mon petit ami depuis deux ans et demi, non pas avec une mais avec DEUX Asiatiques. Tout le monde semblait ravi, surtout la fille qui se balançait du ventilateur. J'ignorais que mon jules avait un penchant pour les grains de riz, mais je me rends compte maintenant que j'avais négligé les signaux d'alerte qu'il envoyait. Ainsi, je pensais qu'il était un peu sado quand il me tirait les cheveux en baisant : j'ai compris plus tard qu'il voulait me brider les yeux.

Peter a toujours eu un penchant pour les trios. Il m'a suppliée et suppliée d'envisager la chose, en en rajoutant tant et plus avec son accent cockney. (Un accent que j'ai trouvé agaçant après l'avoir surpris au lit avec les jumelles wok'n'roll. Avant, c'était tout simplement ensorcelant.)

— Essaye une fois, tu vas adorer ça. En Europe, c'est la dernière mode, il m'a répété.

Ce qui aurait pu aider à me convaincre, s'il n'avait pas utilisé le même argument pour David Hasselhoff.

Après l'avoir piqué avec ses greluches, j'ai passé quinze jours au lit, souffrant d'un cas sérieux de vagin elbow. C'est assez proche du tennis elbow, sauf qu'on l'attrape en se masturbant.

Ma copine Lydia m'a appelée au moins vingt fois pour tenter de me faire sortir de chez moi.

— Impossible, je me suis bousillé le dos en me branlant.

— C'est dégoûtant! Bon Dieu, comment tu t'y es prise?

— Oh, arrête, espèce de sainte-nitouche! Comme si on ne te l'avait jamais foutu dans le cul!

Il était évident que j'avais besoin de sortir et même de m'offrir une partie de jambes en l'air.

Lydia était le genre d'amie que les gens traitaient de « boute-en-train » parce qu'elle adorait les fêtes. Les malheurs des autres ne l'intéressaient pas. Nous étions copines depuis si longtemps que je lui pardonnais son manque de compassion et ne retenais que ses qualités. Par exemple, chaque fois qu'elle sort, vous pouvez être sûr qu'elle est partante pour s'amuser. De plus, c'est elle qui est allée ramasser mes affaires chez mon ex-copain anglais et lui a rendu les clés de sa voiture.

Un mardi soir, nous avons été nous abreuver dans notre bouge préféré. Si les services sanitaires fermaient des troquets pour cause de clients insalubres, Chez Renée – c'est son nom – serait bouclé depuis un bail. J'étais habillée en dépit du bon sens : vieux corsaire Gap, tee-shirt d'homme blanc décolleté en V, baskets Adidas. Une tenue pour rester chez soi. Non seulement j'avais l'air moche et négligé, mais j'avais la foufoune irritée et commençais une migraine.

Il n'y avait que huit mecs dans le bar. Trouver celui qui me convenait n'a pas pris trop de temps. Après trois vodkas collins, je l'ai abordé.

Beaucoup plus âgé que moi, il semblait pourtant être de ma génération. J'aimerais dire qu'il avait la trentaine bien sonnée, mais en réalité il avait plus de quarante ans. Les autres types étaient à fuir : deux gamins qui n'avaient pas dépassé leur dix-huitième anniversaire, un troisième qui avait au moins douze tatouages sur une moitié de la figure. Sans vouloir faire de discrimination, disons que je préfère les mecs pas maquillés. L'unique autre homme non accompagné parlait tout seul en rigolant.

Ou bien je ramenais chez moi ce vieux birbe ou je rentrais avec ma propre pomme. J'ai choisi la première option. Immédiatement, j'ai su que je m'étais trompée. Tandis que j'allais vers lui, il a rejeté la tête en arrière comme font les types pour dire : « T'aimes ce que tu mates, non ? »

J'ai un penchant pour le style bien baraqué, mais muet. Un peu de mystère ne gâte rien. Et puis je parle pour deux. Voilà que ce type s'est mis à glousser comme une gamine en me disant que j'étais vraiment sexy. C'est vrai, parfois je suis sexy, mais certainement pas ce soir-là.

Lydia s'est approchée de moi et m'a zieutée comme si j'étais assise à côté d'une licorne.

— Quoi ? j'ai dit.

— Il est crade.

Elle avait raison. Il était plutôt crade. Ce n'était pas son physique qui clochait – il était plutôt pas mal – mais son air égaré et exalté. Il se comportait comme si, tout juste échappé d'un asile de nuit, il goûtait à la vie nocturne pour la première fois. Comme s'il était encore puceau et moi Cindy Crawford.

Impossible d'aller plus loin, ai-je pensé. J'ai commandé un double whisky. Il m'a souri d'un air qui se voulait débonnaire et dit : « Tu sais, tu n'as pas besoin de boire pour être amusante. » J'ai eu envie de lui rétorquer que je buvais en espérant que ça le rende amusant.

Mon verre terminé, je lui ai proposé d'aller chez lui. Son euphorie me rendait malade. Il avait une Jeep Cherokee blanche et je l'ai suivie. À cette époque, j'avais une Toyota Echo qui est une bagnole idiote. Elle est si petite qu'il est inutile de faire marche arrière. Mieux vaut la soulever et la retourner.

Avant de partir, je lui ai expliqué que je voulais m'arrêter acheter un sandwich. Je n'avais rien mangé de solide depuis quinze jours et l'alcool m'avait donné envie d'une bricole au fromage.

J'ai couru dans un 7-11 heures, tandis qu'il patientait et j'ai pris un énorme sandwich à la dinde au rayon traiteur et un paquet géant de Doritos. De retour dans ma voiture, j'ai picoré mes emplettes comme un animal de basse-cour. C'était comme si je voulais punir ce mec pour sa bonne volonté. Qui me forçait à acheter des

Doritos, qui donnent une haleine de poubelle ? Autant suçoter un bout de cheddar au piment. C'était comme si je le mettais au défi de continuer.

Son appart lui ressemblait. Des tas de machins pour occuper l'espace, mais rien d'emballant. On aurait dit qu'il avait acheté ses meubles chez Ikea avant de les bricoler chez lui. L'ensemble était propre et bien rangé, mais vous n'en auriez pas voulu chez vous.

J'ai pris mes aises dans un canapé en faux cuir noir. Il a mis un disque de Lou Rawls et s'est enfermé un peu trop longtemps dans la salle de bains. Peut-être qu'il s'enfilait son diaphragme. Je serais bien partie à ce moment-là, mais mon sandwich et mes chips étaient trop bons. Je me demandais aussi qui de nous deux allait être le gros perdant de l'affaire.

Enfin, j'ai entendu quelqu'un siffler. Pas moi, j'avais la bouche pleine. Puis la porte de la salle de bains s'est ouverte en grand et il est apparu.

Au cinéma, j'ai vu des tas de mecs faire des choses dingues, mais jamais en réalité. À part un collier en cuir autour du cou, un casque et un holster en cuir noir, il était complètement à poil. Il avait des fers autour des chevilles et tenait une lampe de poche.

La bouche pleine, je l'ai regardé, stupéfaite.

— À quoi sert la lampe de poche ? ai-je fini par articuler.

Son sourire m'a fait penser qu'il pourrait bien être un serial killer.

Puis il s'est mis à jouer avec sa queue. Il était temps que je pose mon sandwich.

— Je veux que tu me battes, a-t-il fait avec une grimace de plaisir.

Comme je ne voulais pas lui donner l'impression d'avoir peur, je suis entrée dans son jeu.

— J'adore fouetter les mecs.

Était-il fou ou simplement idiot ? Finalement, il n'avait pas le profil d'un tueur en série. Bien trop extraverti.

Je n'allais pas coucher avec ce crétin. L'imbitable dans toute sa splendeur.

Il est venu s'asseoir sur le sofa, côté sans victuailles.

— J'aime qu'on m'embrasse, a-t-il confié en se penchant vers moi.

Je l'ai repoussé de la main. J'aurais dû utiliser mon sandwich. Est-ce que j'avais mon appareil photo dans ma voiture ? Regarder des photos de lui me ferait rire pendant des années, mais ça voulait dire rester plus longtemps en sa compagnie.

— Attends, ai-je dit d'une voix tout miel et sucre, j'ai un truc dans ma voiture qui va te faire planer.

— Qu'est-ce que c'est ?

Il était déjà tout excité.

— Oh, tu vas adorer !

— Comment sais-tu que je ne l'ai pas déjà ?

— Oh, crois-moi, tu ne l'as pas !

— D'accord, sexy, va le chercher pour papa.

De mieux en mieux. Quelle merveille qu'il se surnomme papa. Pap's va prendre son pied en entendant ça, j'ai pensé !

J'ai réuni toutes mes affaires, y compris les restes de mon sandwich et la fin de mon paquet de Doritos. Quand il m'a demandé pourquoi je prenais ma bouffe, je lui ai répondu que ça faisait partie de la surprise.

Avant de me lever du sofa, je me suis retournée et je lui ai foutu une grande baffe dans la gueule. Difficile de laisser passer une telle occasion. Ses narines se sont dilatées et il m'a fait un si grand sourire que j'ai cru que sa tête allait se séparer en deux. Je l'ai giflé une seconde fois pour me porter bonheur.

J'ai été nonchalamment jusqu'à la porte sans le quitter des yeux. Une fois sortie, j'ai foncé dans ma voiture. J'ai démarré aussitôt et fait demi-tour. Il se tenait sur le seuil, nu comme un ver dans son attirail, la queue entre les jambes.

J'ai baissé ma vitre et lui ai fait un signe d'adieu. Il a agité sa main avant de s'arrêter, l'air perdu.

Si j'avais été une adepte du « pan-pan cul-cul », j'aurais été à mon affaire. Mais non. C'est bon pour les mauviettes. J'ai touché le fond plusieurs fois. Je me suis même réveillée à côté d'un bouc, bon Dieu ! On ne se refait pas !

À la réflexion, passer la soirée avec un mec juste pour me venger d'un petit ami s'est révélé plutôt décevant. Ce type était impossible. Parfois, mieux vaut passer par tous les stades de la douleur plutôt que d'essayer un dérivatif. Le remède peut être pire que le mal. Même si vous avez le moral dans les baskets, si vous avez une migraine à tout casser, il est important de concentrer votre rage sur votre vibromasseur plutôt que sur un mec.

Une sale traînée

J'étais dans un petit bar de Brentwood, le El Dorado, avec Lydia. Une des grandes qualités de Lydia : elle est toujours partante. À l'instant où un verre de chardonnay bon marché touche ses lèvres gonflées au collagène, elle est prête à se faire sauter. Elle et moi, on forme une fine équipe.

C'est aussi la fille qui, un jour, m'a fait asseoir pour me raconter qu'elle était membre d'un club : « Les Obsédés sexuels anonymes ». Quand j'ai éclaté de rire, elle m'a affirmé :

— Chelsea, c'est très sérieux. C'est pour les gens qui ne peuvent pas se passer de coucher avec des inconnus.

— J'appelle ça faire la pute, non ?

Elle a abandonné après quelques réunions. Quand elle s'est rendu compte qu'elle n'était pas sur la voie de la guérison, car les cinquante membres du groupe n'avaient qu'une idée : se la faire.

Au El Dorado, on est tombées sur deux mecs pas mal qu'on avait rencontrés deux mois plus tôt, Lydia s'était tapé l'un de leurs copains. Un vrai coup d'un soir celui-là : elle ne l'avait jamais revu. Apparemment le rêve de

63

Lydia, qui était de se faire sauter par tous les membres d'une équipe de football, ne s'était jamais réalisé. Elle se consolait donc en fréquentant les mecs d'une même bande. Ensuite, celui qui enregistrait ses ébats pourrait faire un montage pour donner l'impression d'une immense partouze. Pigé ? Parfois les rêves se réalisent.

Plus important : leur ami Gavin était un chou. Superbe. Un visage qui ne passait pas inaperçu. Un mètre soixante-quinze, mince et baraqué, des cheveux noirs et de beaux yeux bleus. Un Ricky Martin, sans la démarche chaloupée. J'ai pris son attitude réservée pour un défi.

Comme je ne m'étais envoyé aucun de leurs copains (c'est en tout cas ce qu'ils croyaient), je passais pour une gentille fille, un peu naïve, un peu tartouille. J'ai mis tout mon cœur dans ce rôle de composition. J'ai parlé des écoles pour filles où je n'avais jamais été, du Peace Corps au Guatemala tellement formidable et de la Croix-Rouge que, si j'étais maligne, je dirigerais bientôt. Quel spectacle convaincant ! Tu es une bonne chrétienne ? m'a demandé ce Gavin. J'ai hoché la tête pieusement et lui ai sorti que si je n'étais pas toujours d'accord avec Jésus (par exemple quand il est contre le fait de coucher dès le premier soir), je croyais sincèrement qu'il fallait avoir des principes et aider son prochain.

Je suis allée ensuite bavarder à d'autres tables. Pour deux raisons. Primo, j'avais des flatulences et je ne voulais pas péter au nez de Gavin. Deuzio, il ne fallait pas qu'il croie que j'allais sauter dans son lit. Quelques minutes plus tard, je suis revenue lui raconter la suite de ma vie imaginaire débordante de rêves, d'espoirs et d'ambitions. Je lui ai parlé de l'année passée avec les enfants démunis de Santa Monica qui m'avait permis de toucher du doigt la vie dans les cités. « L'avenir de demain » est le terme que j'ai utilisé. J'ai pipeauté un max, avec des histoires plus ridicules les unes que les autres. Ah ça, je me suis éclatée !

— Oh, c'est quoi cette odeur ? a-t-il demandé en fronçant le nez.

Mon pet avait ricoché et nous était revenu.

— Quelle horreur ! Quelqu'un a pété. Vraiment, les gens ne savent pas se tenir, j'ai fait.

Puis j'en ai rajouté. Décrivant mon père comme un Cubain parfaitement illettré au zézaiement incompré-hensible. Confiant à Gavin combien il avait été difficile de grandir avec un père qui avait fait la traversée dans une chambre à air, car tous les enfants m'avaient sur-nommée Elian Gonzales. Le détail qui m'a trahi ! Gavin a compris que je racontais des salades : Elian Gonzales était célèbre depuis seulement huit jours, et mon his-toire avait au moins dix ans.

Mes flatulences prenant de la force, je suis allée aux toilettes couler un bronze. Une vraie avalanche ! J'ai noté dans un coin de ma tête d'éviter la bouffe mexi-caine les week-ends. En retournant à ma table, j'ai trouvé Lydia en train de flirter avec un copain de Gavin.

Elle m'a prise par les cheveux et m'a murmuré (enfin, pas si discrètement que ça) :

— On va chez ces mecs.

Je l'ai vite prise à part pour lui parler de mes exploits intestinaux. J'ai ajouté qu'étant donné l'absence de bidet et de papier, je devais d'abord rentrer à la maison pour me laver. Elle m'a rappelé qu'elle m'avait déjà sortie d'un mauvais pas à plusieurs reprises et que, étant ma copine, elle devait m'aider à trouver un type pour la nuit. Pourquoi devions-nous baiser le même soir, je vous le demande ! Mais comme je voulais voir Gavin à poil, elle n'a pas eu beaucoup de mal à me persuader de les accompagner. Gavin était du genre à avoir du savon chez lui, ce qui m'a réconfortée. Je pourrais toujours me laver le cul.

En arrivant chez lui, j'ai foncé à la salle de bains. Je me suis nettoyée avec du savon, mais, ayant des scrupules à m'essuyer avec l'une de ses serviettes, j'ai pris du papier. Grave erreur ! M'étant lavée à grande eau, le papier s'est désintégré et s'est collé à mes fesses.

Autre erreur, fatale celle-là : Gavin ! Il n'avait pas de fesses. De quoi vous faire débander. J'aime mieux avoir un petit quelque chose à quoi m'accrocher. Ça m'est égal si un mec est maigre, mais s'il est plat du cul, il ne m'intéresse pas. Gavin était pire que plat, on aurait dit une crêpe. Ou une pelle.

Un désastre. On a pris notre pied, enfin à peu près, mais à un moment ou à un autre j'ai perdu intérêt ou... conscience. Qu'importe. Un soleil éblouissant m'a réveillée vers sept heures du matin. Il n'y avait pas de rideaux à ses fenêtres. Une vraie chambre de torture.

J'ai enjambé Gavin pour m'habiller et déguerpir en vitesse quand j'ai découvert quoi, au pied du lit ? Ma culotte souillée d'une énorme traînée.

Comme Gavin dormait encore, j'ai plongé pour récupérer la pièce à conviction. Ensuite, j'ai fait un truc parfaitement incompréhensible : j'ai jeté ma culotte dans le jardin.

J'ai rassemblé le reste de mes affaires et couru dans la salle de bains. En m'habillant, j'ai essayé de reconstituer les événements de la veille pour déterminer si Gavin s'était aperçu ou non des dégâts. Quand avais-je enlevé ma culotte ? Je me souvenais seulement qu'on était tombé du lit l'un sur l'autre. Finalement, j'ai passé en revue les différents pseudos que je pourrais prendre et les villes où je pourrais m'enfuir.

En entendant des pas, j'ai regardé par l'interstice de la porte.

Lydia traversait l'entrée baignée de lumière, habillée seulement d'une paire de chaussettes noires. Des chaussettes qui lui montaient aux genoux. Plusieurs hypothèses m'ont traversé l'esprit : peut-être que Gavin et ses copains vivaient avec leur grand-père. Peut-être que Lydia avait fait une partie à trois avec le papy. Ou alors peut-être qu'elle avait un orteil supplémentaire qu'elle voulait cacher.

Son mascara avait coulé et elle avait les cheveux en bataille. On aurait dit une pute de grand chemin.

— Ça fait quinze jours que je ne suis pas allée chez le pédicure, m'a-t-elle expliqué. Mes pieds ont l'air de sortir de Jurassic Park.

Puis un chien a aboyé dans la cour.

— Il est à qui ? a demandé Lydia.

Les aboiements de Curjo se sont rapprochés. Gavin a émis une sorte de mugissement. Bon ! L'éviter allait s'avérer difficile.

Lydia s'est glissée dans sa chambre et j'ai fini d'enfiler mes fringues de la veille. Puis j'ai filé la retrouver en criant :

— Lydia! J'ai complètement oublié! C'est ce matin la fête pour ma tante et son futur bébé.

Ma tante s'était fait ligaturer les trompes cinq ans plus tôt, mais j'ai toujours été bonne pour trouver une excuse. À cet instant précis, Curjo est arrivé en bondissant avec ma culotte dans la gueule!

Gavin m'a enlacée par derrière en m'embrassant dans le cou. Moi, j'étais glacée d'effroi. Pourvu que le chien ait avalé la partie salie, j'ai prié. Oh, petit Jésus, sauvez-moi!

— Oh, merde, ta petite culotte! s'est exclamé Gavin.

Soit, je lui avouais tout proprement, soit je retournais la situation.

J'ai décidé de mentir.

— Mais non, pauvre con, j'ai la mienne sur moi.

Sans lui laisser le temps de vérifier, j'ai fondu en larmes et foncé dans sa chambre, façon grande tragédienne.

— Oh, maintenant je comprends, monsieur le Baiseur! ai-je sangloté. Tu ramènes chez toi une fille après l'autre, sans jamais t'arrêter, c'est ce qui t'amuse, hein? Et tu fais collection de leurs petites culottes? Tu veux que je te file la mienne aussi? Ça t'exciterait?

J'ai continué sur ma lancée.

— Je t'ai fait confiance! Il y a un mois, j'étais encore vierge! Et j'ai pensé qu'on s'entendait vraiment bien. T'es vraiment infect!

— Écoute, j'ignore complètement à qui elle appartient. Je ne l'ai jamais vue de ma vie. J'ai simplement cru qu'elle était à toi.

Cujo est alors entré en mâchonnant ce qui restait de ma petite culotte. Ouf! J'ai gagné la partie, j'ai pensé.

C'était avant de voir le bout de tissu taché qui pendait de sa gueule.

La tronche dégoûtée de Gavin m'a accablée.

— Beurk, a-t-il marmonné pendant que je prenais mes jambes à mon cou.

Je suis montée dans ma voiture et j'ai claqué la portière. En démarrant, j'ai aperçu Lydia qui sortait en courant. Elle ne portait qu'une chemise et ses chaussettes noires de papy. Elle aurait pu rester pour plaider ma cause, mais ç'aurait été trop lui demander. Agrippant son jean et ses chaussures, elle a crié :

— Attends-moi !

J'ai ralenti pour lui permettre de sauter dans ma voiture sans toutefois m'arrêter. Elle s'est cogné la tête en montant.

— Bordel, c'est quoi ton problème ? elle a hurlé.

Quand je lui ai raconté l'histoire, son mascara a coulé de plus belle. On avait une petit faim, mais aller dans un vrai restaurant nous a paru hors de question, et nous sommes restées assises dans la bagnole devant un McDo. Il y avait une pancarte au-dessus de la vitrine : Le MacSteak est de retour !

— Revenu d'où ? j'ai demandé.

— En tout cas, mieux vaut ne pas en manger, a commenté Lydia.

Il m'a fallu plusieurs nuits d'insomnie pour me débarrasser d'un sentiment de honte. Qu'est-ce que j'ai fait de mal dans la vie ? Cette question n'a cessé de m'obséder. Éveillée dans mon lit, je me demandais combien de fois par an les Mexicains changeaient de culotte. Quand l'humiliation s'est atténuée, je me suis rendu compte que cette histoire m'avait enrichie. D'abord, j'ai appris à éviter la bouffe mexicaine pendant les week-ends. Et puis, qui sait le nombre de filles que j'ai aidées en leur racontant ma mésaventure ?

Tonnerre

Une de mes copines allait se marier. Ça devenait assommant à la fin. Sarah était ma troisième amie à se fiancer en six mois et il était évident que de plus en plus de couples allaient l'imiter. Je ne suis pas contre le mariage. Moi aussi j'aimerais bien me marier. Deux fois. C'est la cérémonie qui m'emmerde.

Les gens qui se marient pensent qu'ils sont les premiers à qui ça arrive. Toute l'année qui précède le grand jour, ils se prennent pour le centre du monde. Il faut donner pour eux des fêtes prénuptiales et organiser des week-ends entre filles, acheter une robe de demoiselle d'honneur, se fendre d'un billet d'avion pour aller dans le trou perdu où ils vous traînent. Si vous manquez vraiment de bol, ils vous demandent de réciter un poème pendant le banquet. Le bouquet! Vous êtes alors obligée de modérer votre descente de bibine avant votre discours. Et qu'en retire-t-on, je vous le demande? Un bout de poulet desséché et une partie de jambes en l'air dans le foin avec un cousin un peu plouc. Ce que je peux faire chez moi, merci beaucoup.

Ils ont en plus le culot de sélectionner leurs propres cadeaux. J'aimerais bien savoir qui a inventé la liste de mariage. Malgré tout ce que vous avez déjà dépensé pour eux, il faut aller chez William Sonoma ou chez Pottery Barn pour acheter ce qu'ils veulent. Après quoi, ils vous envoient un mot pour vous remercier de votre trouvaille tellement formidable ! Alors qu'ils l'ont choisie. J'ai toujours eu envie de faire remarquer aux nouveaux mariés qu'écrire un nom sur un paquet et envoyer un bol à salade n'a rien de créatif.

Je préfère donner de l'argent. Le jour où je me marierai, j'ouvrirai un compte en banque. Un pour chaque cérémonie. Je suis juive. Pour moi l'argent, c'est sérieux.

Mais si vous croyez en avoir fini, vous vous trompez. Il faut se taper ensuite la vidéo de la cérémonie. Comme si j'avais envie de voir la séquence où je m'écroule en plein dans le gâteau.

Un mariage a de quoi brouiller les meilleures amies. Les jeunes épousées croient qu'elles ont tout compris. À leurs yeux, les célibataires sont des cas sociaux.

— Oh, viens donc vendredi. On aura des copains et on fera des jeux. Tu rencontreras peut-être quelqu'un qui te plaira.

Quelle barbe ! J'ai une réponse toute prête :

— Sûrement pas, à moins de jouer à « Qui a caché l'ecstasy ? » Ou : « Désolée, j'ai d'autres projets. »

Les gens mariés ne savent donc pas que les célibataires ont mieux à faire que de jouer au yam le vendredi soir. Moi, je préférerais prendre un bain moussant avec mon père. C'est dire !

Et puis il y a eu ce week-end entre filles pour enterrer la vie de célibataire de Sarah. J'ai un faible pour Las Vegas. Ce n'est jamais décevant. La boîte de strip-tease Olympic Gardens serait, paraît-il, la meilleure de la ville. Le premier soir, nous y sommes allées toutes les huit, et je n'oublierai jamais notre tête quand on l'a vu. Lui. Son nom de scène était « Tonnerre ». Du tonnerre, j'ai pensé.

Tonnerre était superbe. Pas le genre qu'on voit dans *Playgirl* avec de longs cheveux et un nœud papillon qui pourrait faire concurrence à Fabio dans « C'est qui le plus dégueulasse ? ». Non, ce mec était du genre Dylan McDermott, avec un cul comme une montagne et un corps magnifique. Du jamais vu.

Toutes les filles bavaient d'admiration et se sont inscrites pour danser avec lui sur scène. J'ai vite compris ce qu'il me restait à faire. Je devais remporter le gros lot.

Je n'avais jamais vu les copines délirer à ce point. La plupart avaient des jules et deux d'entre elles étaient mariées. On fantasmait toutes sur ce qu'on pourrait faire avec un corps pareil, mais j'ai décidé de la marche à suivre. Ayant repéré que Lydia et Ivory mouraient d'envie de l'approcher, je leur ai dit :

— Il est à moi !

Sauf que toutes les filles présentes dans la boîte me faisaient concurrence. Aucune importance ! À condition que je sois dans le coup, elles pouvaient se le faire. Une de mes amies m'a acheté un bon pour danser avec lui et on m'a appelée sur scène. Je dois dire que je ne suis pas fana des boîtes de strip-tease. Un peu de mystère ne gâche rien, je trouve. Les hommes sont plus en valeur habillés que nus. J'avais tort. J'ai eu ma danse – et son cul contre moi – mais j'ai réussi à rester cool. Il avait un visage d'ange. Des yeux bleus d'enfant, des cheveux noirs, un sourire à faire damner tout Las Vegas.

Pendant que nous dansions, il m'a demandé où je vivais. Je lui ai dit Los Angeles. Il y habitait aussi et ne venait à Las Vegas que pour travailler les week-ends. Un strip-teaseur qui commutait comme un banlieusard. Quelle conscience professionnelle! Je lui ai filé mon numéro de téléphone et j'ai tiré ma révérence. Mission accomplie.

Les filles m'ont fait promettre de sortir avec lui.

— Sortir avec lui? Il n'en est pas question! Je vais me le faire, ça oui!

Combien de kilos devais-je perdre pour séduire un strip-teaseur? Il ne voyait que des strip-teaseuses aux corps parfaits. Il suffirait peut-être que je me muscle. Voilà ce que je ruminais. Avant de rejoindre la limousine et son minibar.

Tonnerre m'a appelée la semaine suivante. Il a essayé de me dire son vrai nom, mais je l'ai vite interrompu.

— J'aime bien Tonnerre. On va le garder pour le moment.

— Bon, mais personne ne m'appelle comme ça, a-t-il répliqué de sa voix rauque.

Ce mec entrait trop dans les détails.

— Peu importe. Tu es bien rentré de Las Vegas?

J'ai fait semblant de m'intéresser à ces fadaises en attendant de lui demander quand il me ferait broute-mimi. Bien sûr, je ne me suis pas exprimée à voix haute. Je n'énonce jamais ce que je veux. Sinon, je n'aurais pas d'amis.

— Puis-je t'emmener dîner quelque part?

— Et si on prenait plutôt un verre? ai-je suggéré.

Je voulais obtenir son adresse, sans pour autant lui faire peur.

On s'est retrouvés au Lava Lounge. Je m'étais arrangée pour un rendez-vous près de chez lui. Je lui ai simplement dit que je ne voulais pas qu'il ait trop de route à faire.

Il portait un jean et une chemise en flanelle. Rien de très seyant, plutôt genre bûcheron ou calendrier pour hommes. Est-ce que je vais pouvoir la déchirer de mes deux mains, me suis-je demandé en reluquant le tissu. J'étais partie pour une séance d'amour vache.

En avalant deux vodkas collins, je l'ai interrogé sur sa vie, ses projets.

— Je viens d'avoir trente-sept ans (ce qui m'a surprise, vu qu'il n'avait pas l'air d'en avoir plus de vingt-neuf) et je veux me concentrer sur mon travail de comédien.

— Mon Dieu!

Je me suis retournée pour vérifier si quelqu'un d'autre l'avait entendu.

— T'es acteur? ai-je dit en prenant l'air fasciné. Oh, c'est tellement... Avec ton physique, ça ne devrait pas te poser de problèmes.

Il faut être dingue pour commencer une carrière d'acteur à trente-sept ans! Il se fichait de moi ou quoi? Qu'avait-il fabriqué jusqu'à maintenant? À part le strip-tease, je veux dire. Il paraît que c'est dur de laisser tomber un métier qui rapporte autant. Tonnerre m'a avoué qu'il encaissait entre trois et quatre mille dollars par week-end, ce qui n'était pas mal. Moi je ne touchais que 311 dollars par semaine d'allocations chômage. Mais impossible de l'emmener au mariage de Sarah. J'en entendrais parler jusqu'à la nuit des temps. Je lui ai souri et j'ai pensé : « Continue, tu m'intéresses, espèce de belle bête sexuelle. »

— Ainsi, tu joues la comédie, a-t-il dit. Raconte-moi un truc qui me fasse marrer.

— Bon. L'avantage d'être une alcoolo, c'est quand tu t'emmerdes dans une soirée, tu peux filer à l'anglaise et tout le monde croit que t'es tombée dans les pommes.

— Tu es alcoolo ?

— C'est pas le problème. Et je n'aime pas ce mot. Je préfère penser que je suis une buveuse avancée.

— Je ne comprends pas bien.

Il était évident que Tonnerre passait sa vie à ne pas comprendre très bien. J'ai donc remis la conversation sur sa carrière. Mais, comme le sujet n'était pas inépuisable, j'en ai vite eu ma claque. Je suis allée aux lavabos dans l'espoir de lui donner le temps de finir sa bière. Et de passer ensuite à l'action. Dans les toilettes, j'ai rencontré deux filles qui se moquaient d'un type qui zézayait grave. Je leur ai dit que ce n'était rien à côté de Tonnerre – si elles voulaient entendre quelque chose de drôle, c'est lui qu'elles devaient écouter.

— Il doit même pas savoir lire !

Et je leur ai raconté comment j'avais fait sa connaissance.

Tout excitées à l'idée de la rencontre, nous sommes retournées ensemble à ma table.

J'ai fait les présentations en expliquant à Tonnerre que j'avais retrouvé deux amies. Elles se sont regardées en gloussant. Son physique les sciait. Comme les copines. Au bout d'un moment une des filles m'a murmuré :

— Il a une langue ?

— Oui, c'est pas un singe.

— Pose-lui une question, a-t-elle insisté.

La vache !

— Que dois-je lui demander ? ai-je fait entre mes dents.

— Dis-lui d'épeler un mot.

Là, elle exagérait. Ce n'était pas gentil de maltraiter Tonnerre. Je me suis souvenue de ce que m'avaient fait subir des filles plus âgées au lycée. Je m'étais juré de ne jamais me conduire ainsi et voilà que je devenais comme elles. Même pire, vu que j'étais devenue adulte et que j'aurais dû avoir un peu plus de bon sens. De plus, il commençait à se rendre compte qu'on se moquait de lui. Il avait beau être un peu lent à la détente, il n'était pas idiot.

Nous avons fait nos adieux et on s'est tirés dans son appart. Sous prétexte de voir des photos de lui.

Vingt minutes plus tard, je prenais mon pied comme jamais. Ce mec n'était pas con du tout. Il savait se conduire avec les dames. Un peu fou certes, un peu brutal. Mais je n'ai pas arrêté d'en redemander. Il m'a eue de partout. Il avait la peau douce et des fesses à quoi s'accrocher. Ses bras étaient musclés et son cul, parfait. J'avais vu tout ça sur scène, mais là, je vivais en vrai les fantasmes de toutes les filles et de tous les pédés. Il avait des lèvres douces, vraiment douces. J'adore les hommes.

Un mec qui sait baiser est une vraie merveille. J'ai cru que je tombais amoureuse de lui. Je suis même restée la nuit. Pour repasser à la casserole. Quelle importance qu'il ait été nul en maths. Il était béni des dieux.

On a commencé à se voir régulièrement. On a laissé tomber les préliminaires mondains et j'allais directement chez lui. Chaque fois, c'était le super-panard. J'aimais même dormir avec lui. En ayant l'impression de dormir avec un rhinocéros. Il était si fort que je me sentais toute petite. Je mourais d'envie de l'exhiber auprès de mes copines à condition qu'il n'ouvre pas la bouche. Que faire, que faire ?

Un dimanche, je l'ai appelé sur son portable alors qu'il revenait en voiture de Las Vegas. Il n'a pas eu l'air ravi d'entendre ma voix. J'ai compris qu'un truc clochait et que je n'aurais pas ma dose ce soir-là. Il a prétendu être fatigué par le voyage et pas très disposé à me voir. Comment ? Lui fatigué ? Nos parties de jambes en l'air étaient dignes du Cirque du Soleil, mais elles en valaient la peine, non ? Et puis il a craché le morceau. Il avait rencontré quelqu'un. Ça risquait d'être du sérieux.

— Une fille ?

— Oui. Tu es épatante et on s'est bien amusés, mais toi et moi savons que ça n'ira jamais très loin.

Mon Dieu ! J'étais en train de me faire larguer par Tonnerre ! Je n'en ai pas cru mes oreilles ! Surtout que je ne connaissais même pas son vrai nom. Fini le paradis ! Un mec qui se déshabillait pour gagner sa vie m'annonçait froidement que je n'étais pas le genre de fille qu'on épouse. J'étais pas assez flexible ? Pas assez sérieuse ? On se voyait deux fois par semaine : c'était pas suffisant ?

— T'es toujours là ? a-t-il demandé.

— Ouais.

— Je suis désolé.

— T'en fais pas, je comprends, ai-je menti. Alors, on se voit quand même ce soir ?

Silence à l'autre bout du fil.

— Adieu, Chelsea. Et bonne chance.

Il a raccroché. J'avais déjà eu des hauts et des bas. Et des peines de cœur. Mais c'est la première fois que ma petite craquette a pleuré. Une vraie tristesse. Elle n'est pas sortie pendant plusieurs jours.

Un petit bigorneau

Avoir une petite quéquette n'est pas un drame pour un jeune garçon. Mais s'il grandit et pas sa bite, ça devient grave. J'ai pitié des types sous-développés. Que peuvent-ils faire? Les faire grossir artificiellement? Sans doute. Enfin, je l'espère pour eux.

J'ai eu un bref coup de foudre estival pour une petite bite. Mon excuse : il était drôle et je n'avais que vingt ans. À l'époque j'ignorais qu'on pouvait planter un mec. En revanche, je savais qu'il n'était pas question de lui parler de la taille de son instrument. Genre : « Au fait, préviens-moi quand tu seras dedans ! » De plus, j'ai commencé à voir ce mec juste après ma série de Blacks qui, eux, en avaient des longues comme des bras de bébé. Le prix à payer pour retourner chez les Blancs?

Donc, cinq ans plus tard, j'étais au club 217 de Santa Mónica avec un peu d'ecstasy dans le buffet. On dansait au 217 et moi, pour en être capable, il me fallait de la drogue. J'en prenais par petites doses – à peu près toutes les heures – et toujours en petites quantités. Je n'aime pas abuser. Traitez-moi de réactionnaire, si ça vous fait plaisir.

Un petit bigorneau

On était tous déterminés à passer une nuit d'enfer. Ivory venait de rompre avec son petit ami, un architecte hollandais. Depuis le lycée, elle ne sortait d'ailleurs qu'avec des étrangers. Lydia se remettait difficilement d'un type qui l'avait traitée pendant deux ans comme une merde. C'était le genre à draguer ses copines dans les bars et à s'en vanter ensuite auprès d'elle. Il a besoin de mûrir, disait-elle. Il avait trente-cinq ans, ce qui veut dire vingt-cinq à Los Angeles, et on n'avait pas l'impression qu'il puisse un jour devenir adulte. Mais le pire, c'était son haleine.

Après leur premier rendez-vous, Lydia m'avait appelée pour me dire :

— Il est vraiment sympa mais il a une haleine infecte. Finalement nous sommes revenus chez moi...

— Pardon ? ? ?

— Oui, nous sommes revenus chez moi...

— Minute, papillon ! Après avoir senti son haleine, tu l'as quand même ramené chez toi ?

— Écoute...

— Silence ! Une mauvaise haleine met fin à une histoire avant même de commencer. Impossible de jamais guérir une bouche qui pue. À moins que tu ne disposes d'un grattoir à langue vraiment spécial.

Ivory et moi avions pris l'habitude de l'appeler HC, pour Haleine de Cul. Bien avant de rompre, Lydia utilisait aussi ce surnom.

Ivory, la bonne vieille Lydia et moi planions allègrement grâce à nos pilules d'ecstasy. Une demi-heure après notre arrivée au club, Lydia a disparu et Ivory et moi, nous avons continué à danser. Tout à coup, j'ai repéré un petit mignon qui me reluquait depuis le bar. J'ai un faible pour les Blancs aux cheveux noirs et aux jolies chaussures. Tout lui. Il devait se demander qui m'avait donné la permission de me trémousser sur une piste de danse, mais ça l'amusait. Comme tous les autres spectateurs. Je suis descendue de la piste d'une pirouette et me suis dirigée vers lui. Sachez que lorsque je suis sur une estrade, mes rares inhibitions disparaissent.

— T'es mignon, ai-je marmonné.

Il s'appelait Blaise. Un nom dont je me souviens facilement car il rimait avec ce qui s'est passé ensuite. Il était un peu trop trapu pour mon goût, mais d'une façon sexy et il avait un joli teint mat. Et un rire exubérant. J'adore les hommes qui rient franchement. On a dansé un peu et nous sommes retournés au bar pour nous peloter.

Je déteste les gens qui se pelotent en public. Je trouve ça choquant et même indécent. Sauf quand c'est moi qu'on pelote. Dans ce cas, je suis plus tolérante.

Pendant une heure, nous avons bu, fumé et échangé des baisers. Il serait plus juste de dire qu'on se roulait des pelles baveuses. À un moment, mes copines se sont approchées, nous ont vus et se sont tordues de rire. Comme si ça ne leur était jamais arrivé ! Surtout Lydia qui, la semaine précédente, s'était réveillée sur le carrelage de sa salle de bains.

Vers une heure du matin, j'ai atteint un stade où je savais qu'il ne me restait que deux heures à planer. J'ai demandé à Blaise de me reconduire chez moi pour prendre ma voiture. Je le suivrais ensuite chez lui. Vivant à Santa Mónica comme moi, il m'a proposé d'aller directement chez lui et de me raccompagner le lendemain matin. J'avais déjà fait ce genre d'erreur et je m'étais juré d'avoir toujours, absolument toujours, ma propre voiture.

Je lui ai raconté un bobard, genre j'ai une réunion tôt le lendemain – avec qui, mon Dieu ? Il a insisté. J'ai dû me fâcher.

— Écoute, si je ne dispose pas de ma voiture, je ne viens pas et tu l'auras dans l'os.

Finalement, il m'a déposée à ma voiture. En me glissant derrière le volant, j'ai vu son petit sourire. Ma pauvre Toyota Echo ! Elle en a vu des vertes et des pas mûres. Elle était si petite que les gens voulaient savoir si elle était électrique. Je mentais en prétendant que oui.

Une demi-heure plus tard, il est entré dans son garage et m'a fait signe de le suivre. Pas question. J'ai pensé qu'il voulait me piéger. Sacré mec ! À se demander si je me l'étais déjà envoyé.

— Je ne veux pas me garer à l'intérieur, ai-je crié.

— T'as un problème ?

— Non, mais j'aime pas les garages.

— Pourquoi ? T'as peur qu'il t'arrive un truc ?

J'ai regardé dans le vide. À cet instant, s'il avait eu une bombe lacrymogène, il s'en serait servi. Je devenais carrément chiante. Il avait l'air crevé.

— Comment sortir de ton garage demain matin ? ai-je demandé.

— La porte s'ouvre automatiquement. Tu n'as besoin ni de clé ni de code.

Je l'ai fixé, éberluée.

— Il y a une cellule électrique. Qui se déclenche quand tu passes.

Il me parlait comme si j'avais onze ans et j'ai trouvé ça charmant.

— D'accord.

Il me prenait vraiment pour une débile.

Nous sommes montés dans sa maison. Elle était ravissante. Il avait au moins trois Warhol au mur et des tas d'objets en cristal. J'aime les hommes qui prennent leur vie en main. J'ai trop vu d'appartements de mecs avec des moquettes dégueulasses et pas de papier dans les toilettes. Chez lui le parquet était impeccable. On avait l'impression que Monsieur Propre avait couché là.

Tout était haut de gamme, et muni d'installations électroniques. Entre autres, un immense écran plat de télé et tout le fourbi qui va avec. Et plein d'acier poli. Plus tard, la vie m'a appris que l'acier poli faisait un excellent plan de travail pour la baise. Toute surface non lisse laisse des marques et (ou) esquinte la peau.

Il a mis un CD de Fleetwood Mac, que j'adore, et j'ai décidé de le récompenser en faisant une séance de striptease. Je l'ai poussé dans la chambre à coucher et j'ai commencé à me déshabiller sur le seuil. Il aimait ma façon de danser. Pourquoi ? Lui aussi marchait à l'ecstasy ?

Mon numéro terminé, j'ai grimpé sur lui, avec juste ma petite culotte sur moi. Il a enlevé ses fringues, ne gardant que son slip. J'ai mis ma main dans son kangourou.

Comment imaginer un instant qu'il pouvait avoir un aussi petit bigorneau ? « Petit » est un terme généreux pour décrire une chose de la taille d'une saucisse de cocktail. Son truc était même plus petit que mon gros orteil. Plutôt un minuscule appendice qu'un pénis. J'étais mortifiée. Il fallait que je me tire.

Un petit bigorneau

Je n'avais rien d'une dame de charité. Coucher avec lui par simple pitié ? Pas question. J'en aurais été malade après. J'ai bondi du lit en criant :

— Mon Dieu ! Mon Dieu !

— Que se passe-t-il ?

— Ma voiture ! ai-je crié. Je viens de m'en souvenir. Je devais la laisser absolument dans la rue.

— Mais pourquoi ?

— Ivory doit venir la chercher. Elle habite chez moi.

— De quoi parles-tu ?

— Ivory n'a pas de voiture. Elle en a besoin. J'avais complètement oublié. C'est pour ça que je devais la garer dans la rue.

— Ivory, la fille que t'as laissée dans la boîte ? Mais bon sang, comment va-t-elle savoir où tu l'as mise ?

— J'ai un dispositif d'autoguidage.

Silence.

— Comme les pigeons ?

— Oui. Tu as raison. Comme les pigeons et ça ne marche pas si la voiture est dans un parking. Je reviens tout de suite.

Sans lui laisser le temps de réagir, j'ai pris mes affaires et je suis partie. Par ici la sortie !

Comme il me l'avait dit, la porte s'est ouverte automatiquement. Echo et moi sommes rentrées à la maison. J'avais appris ma leçon, inutile de récidiver.

Quand, le lendemain, j'ai raconté mon histoire à Ivory, elle a dit :

— Écoute, Chels, t'avais pas besoin de le quitter aussi vite. Il pouvait être doué pour autre chose.

— Ah oui ? Et quoi ? L'algèbre ?

N'en croyez pas un mot

On se rend compte qu'on s'est envoyé plein de types quand, en entrant dans sa banque, on voit un de ses ex sur une photo publicitaire qui vante « les prêts pour les PME ».

J'ai un horrible défaut : dès que je bois, je ne peux m'empêcher de mentir. Gratuitement. Pour le plaisir. C'est vrai qu'il est parfois obligatoire de mentir pour éviter d'aller à une fête ou pour ne pas faire de la peine à quelqu'un. Mais prétendre que votre père a inventé le fil à couper le beurre est une autre paire de manches.

Une fois, je suis sortie avec un mec pendant deux heures. J'avais fait sa connaissance dans un bar, le El Dorado, et j'avais réussi à le draguer avant la fermeture. Il était mignon et j'avais vraiment envie de me le taper. En plus il était drôle, intelligent et intéressant – il m'avait raconté quelque chose au sujet de ses weekends dans un orphelinat qu'il avait créé au Mexique.

En quittant le bar, il a hésité à venir chez moi. Il jouait les effarouchés, ce qui m'a bottée. Heureusement, son numéro n'a pas duré et nous nous sommes vite retrouvés à la maison. Comme j'habitais au coin de la rue, c'était pratique.

La baise fut de qualité supérieure. J'étais ravie. Ce type me plaisait vraiment et cela irait en s'améliorant. Le lendemain matin, il s'est tourné vers moi et a demandé :

— Alors, comme ça, American Airways appartient à ton père ?

Je l'ai regardé, interloquée. Il m'a fallu trente secondes pour comprendre. Je lui ai tourné le dos, avec une envie à tout casser de rentrer sous terre. Impossible de le revoir, ai-je pensé. Bon sang ! Encore un que je ne connaîtrais jamais mieux.

— Ouais, ai-je répondu en hésitant. Pourquoi ? Tu as besoin d'un billet ?

Ce serait plus facile de ne plus jamais lui téléphoner plutôt que de lui avouer que j'étais folle à lier. Autant arrêter les frais immédiatement et digérer la leçon : ne pas mentir en picolant. Une personne normale aurait décidé d'arrêter totalement de pipeauter. J'ai préféré mentir en état de sobriété seulement.

Deux mois plus tard, j'ai rencontré ce type dont je ne me rappelle plus le nom. Disons qu'il s'appelait Mike. Un prénom assez usuel.

J'avais beaucoup de temps libre car Ivory et Lydia étaient en main et passaient leurs soirées avec leurs mecs. Normalement ça ne m'aurait pas gênée mais, un mois plus tôt, pour mon vingt-cinquième anniversaire, elles et d'autres copines s'étaient cotisées pour m'offrir un vibromasseur. Comme si elles-mêmes n'avaient jamais manqué de jules ! Exact que je n'avais rien eu depuis quatre mois, mais j'essayais de ne pas en faire un roman.

C'est amusant de recevoir un vibromasseur pour son anniversaire. Mais une douzaine ? Pas drôle du tout. Une fille a besoin de combien de vibros, je vous le demande ? Un seul suffit. À moins de vouloir faire un duo en solo.

À l'époque, je travaillais le matin dans un café de Pacific Palisades. Parfois, après mon service, j'allais au Starbucks du coin de la rue pour lire. Une ou deux fois, je l'ai vu là-bas avec un de ses copains. On a beaucoup flirté. Je mourais d'envie qu'on se pelote sérieusement, mais j'avais peur de paraître en manque. Ce type était vraiment mon genre : bien bâti, cheveux noirs, visage adorable. Un mélange de Tom Cruise et de Hulk. Il travaillait sur un chantier de construction tout en voulant faire du théâtre. Le côté comédien m'a cassé les pieds, mais pas au point de rompre. J'ai préféré l'imaginer à la tête de sa boîte de construction. Sans penser à une histoire sérieuse, j'aurais aimé qu'il me séduise.

À notre troisième rencontre, il m'a enfin proposé « d'aller casser la graine ». Dans son jargon de chantier, ça équivalait à une invitation à dîner. J'ai rougi comme une folle, ce qui n'était pas dans mes habitudes. Et plus il me l'a fait remarquer, et plus j'ai rougi. Les mecs adorent ça. J'arrive à me forcer à rougir, mais je ne peux pas le faire à la demande.

Nous sommes allés dans un restaurant de sushis à Los Felices. Il habitait chez une copine qui était absente. Elle l'hébergeait en attendant qu'il se trouve un appart.

Après avoir bu deux carafons de saké, on a partagé deux grands sapporos. Prise de pitié pour le pauvre acteur fauché, j'ai ramassé l'addition. Drôle d'idée, dans la mesure où je travaillais au noir dans un café, trois matinées par semaine pour arrondir mon allocation chômage. En plus d'être alcoolo, j'ai la folie des grandeurs.

Je me suis invitée chez lui. Il a accepté. Je l'ai suivi dans ma Toyota Echo alors qu'il conduisait une Pontiac Pinto. Vous parlez de deux paumés !

Chez sa copine, on a ricané de conserve sur les peintures et les photos qui ornaient les murs. Mike devait être très proche d'elle, car ses photos de famille étaient disposées un peu partout. Elle était partie depuis assez longtemps sur un tournage. Il avait donc arrangé la maison à son goût. Loin de moi l'idée de me montrer méfiante. Primo, il n'auditionnait pas pour le rôle d'amant en titre. Et secundo, comment imaginer que quelqu'un puisse mentir autant que moi ? Un ou deux orgasmes me suffiraient. De toute façon, pas question d'en demander plus au propriétaire d'une Pinto.

Dès qu'on a eu fini de baiser, je l'ai quitté. Le lit était dur et je préfère faire mon acte de contrition la nuit plutôt que le jour.

Au cours des deux ou trois fois où l'on s'est revus ça a bien collé. J'ai même passé la nuit avec lui un soir d'overdose de gin-jus d'orange. Vous avez dû remarquer que mes libations prennent de nombreuses et différentes formes. Sur ce chapitre, je ne suis pas sectaire. Et je n'ai pas de chouchou.

Le dernier soir, nous avons été au bowling, où j'ai eu un accident. J'ai pris une boule trop petite pour mes doigts et en voulant la lancer – dans l'espoir peu réaliste de faire un *strike*, elle est restée collée à ma main. J'ai fait un vol plané, j'ai roulé sur la piste et me suis retrouvée les quatre fers dans la gouttière. Dans la minute qui a suivi, tous les employés sont accourus à mon secours, par peur d'un procès. Mike et moi avons éclaté de rire. Lui en fait ne riait qu'à moitié : il avait drôlement balisé.

Après cette nuit, les choses se sont un peu tendues entre nous. Il commençait à me plaire et on s'est mis à se comporter comme un couple. Je me suis forcée à ne pas lui téléphoner. J'en avais envie, mais j'ai résisté à la tentation. Pas question de tomber amoureuse d'un couvreur-acteur-conducteur de Pinto.

J'ai tenu huit jours. Quand j'ai téléphoné, il ne m'a parlé que brièvement et ne m'a rappelée que le lendemain. Laisse tomber, ai-je pensé. Je n'allais pas le poursuivre. Des amies s'étaient accrochées et j'avais vu ce que ça donnait : un résultat lamentable sans parler d'une perte de temps. Un temps qu'elles auraient pu passer à picoler.

Étant alors serveuse à mi-temps, imaginez ma surprise en le voyant débarquer quelques jours plus tard au bras d'une brune splendide qui m'aurait facilement éliminée à un concours de costumes de bain. Merde !

Il était onze heures et demie et j'étais la dernière serveuse. La relève pour le déjeuner arriverait plus tard. Je devais donc m'occuper de la table de Mike. C'était ça ou rentrer chez moi et ne plus jamais remettre les pieds au restaurant. À moins d'inventer un père ou une mère à la dernière extrémité.

J'ai réfléchi à mille à l'heure. La mort de quelqu'un ne m'empêcherait pas de servir à table. Et c'était trop compliqué comme excuse. Et puis la propriétaire me faisait une fleur en me payant au noir et je n'allais pas lui faire faux bond. Quant au garçon de salle et au cuisinier, ils m'ont ri au nez quand je leur ai demandé de me remplacer. J'ignore s'ils riaient parce qu'ils m'avaient vue dans le pétrin ou si, ne comprenant pas l'anglais, ils avaient cru que je plaisantais.

Il fallait que je trouve quelque chose. M'approcher d'eux et me présenter n'étaient pas la solution.

Enfin, j'ai trouvé ! Ce ne serait pas moi, mais mon sosie. Ah oui ! Ma jumelle. Oui, ça devrait marcher. Et pourquoi pas ? Il ne savait rien de moi. Il n'était pas impossible que j'aie une sœur jumelle.

Je me suis avancée, toute guillerette.

— Salut ! Que voulez-vous boire ?

Il a perdu ses couleurs. Et j'en ai récupéré une partie.

— Salut ! a-t-il fait, terrifié à l'idée que je puisse le reconnaître.

Ce type m'est inconnu, me suis-je répété inlassablement. Je ne l'ai jamais vu de ma vie.

— Salut ! Que voulez-vous boire ?

Silence. Il n'a cessé de me dévisager. Et elle en a fait autant.

Pas question de changer d'attitude, ai-je pensé.

— Vous voulez un verre ? ai-je insisté.

Allons, ducon, joue le jeu ! J'essaye de te sortir d'un mauvais pas.

— Ah, oui, apportez-moi un café. Et toi, chérie, que veux-tu ? a-t-il demandé à sa pouffe.

— Un café, avec plaisir.

— D'ac', je reviens tout de suite.

Je leur ai souri telle une accorte serveuse de bonne humeur. Quelle actrice je fais !

La suite des festivités s'est déroulée de la même façon : je jouais mon rôle de toquée tout en me comportant comme si Mike était dingo. Chaque fois qu'il me regardait, je le fixais avec des yeux ronds, du genre : qu'est-ce que tu as à me zieuter comme ça ? À voir sa mine virer au vert, il n'allait pas tarder à être malade. Jouer les gentilles serveuses m'amusait. C'était la première fois que j'étais aussi aimable avec des clients. C'était presque agréable. Il faudrait qu'un jour je réfléchisse à la question.

Et on a continué le manège. Quand l'addition est arrivée, Mike m'a laissé vingt-cinq pour cent de pourboire. Peut-être qu'il se sentait coupable. Ou bien c'était le résultat de ma joyeuse humeur. Il est parti avec sa copine, qui m'a souri en me faisant adieu de la main. Elle était mignonne. Quel dommage qu'elle sorte avec ce menteur de la pire espèce.

Vingt minutes plus tard, alors que je comptais ma recette, j'ai songé à l'ironie de l'avoir invité à dîner deux semaines plus tôt. Quelle idiote ! Soudain, je l'ai entendu :

— Chelsea !

Oh ! merde. Il était seul. Je me suis retournée à l'instant où je me suis souvenue que je n'étais plus Chelsea. Paniquée, j'ai plissé les yeux.

— Vous désirez ?

— Je suis désolé.

— À quel sujet?

— Pour ce qui vient d'arriver. Oui, nous vivons ensemble, mais ce n'est pas...

Voici le nœud de l'histoire.

— Oh, je dois vous arrêter! Je ne suis pas Chelsea. Je sais que vous m'avez regardée d'une drôle de manière. Elle est ma jumelle. J'ignore comment vous la connaissez, mais je ne sais pas qui vous êtes.

Puis j'ai ajouté :

— Je suis réellement navrée.

Silence de sa part.

Il m'a encore dévisagée un moment :

— Oh, c'est vraiment bizarre! Vous lui ressemblez tellement. Comme deux gouttes d'eau.

— Nous sommes jumelles!

— Et comment vous appelez-vous?

Je ne m'étais pas préparée à cette question. Quel nom allais-je me donner? Une cascade de noms de gens que j'avais connus m'a rempli la tête. Mais c'était tous des prénoms masculins.

— Kelsea! j'ai craché.

— Chelsea et Kelsea? s'est-il étonné.

— Vous devriez connaître nos parents!

Chelsea lui avait-elle jamais parlé d'eux? Puis je me suis rappelé que j'étais Chelsea!

— C'est vraiment incroyable comme ressemblance! Oui, impossible de voir la différence.

Il commençait à me les casser. Il avait jamais vu de jumelles?

— Je ne comprends pas, elle ne m'a jamais dit qu'elle avait une jumelle.

— Vous la connaissez bien?

— Oh... assez bien... oui.

— Laissez-moi deviner, vous avez couché avec elle, c'est ça?

— Oui, a avoué cet idiot.

— Ça ne m'étonne pas, elle couche avec n'importe qui.

— Quoi! s'est-il insurgé.

— Oui, une vraie Miss couche-toi-là, ma sœur! Ça arrive tout le temps que les mecs nous confondent.

— Vous voulez dire qu'elle n'arrête pas?

— Exactement. Vous devriez vous faire examiner.

Nouveau silence.

Moins de cinq secondes plus tard, Mike a piqué un sprint jusqu'à la porte, sans même me dire au revoir. Pas très galant, le gars.

— Dois-je lui dire que je vous ai vu? ai-je crié.

— Non!

Deux ans plus tard, en entrant dans ma succursale de la Bank of America, j'ai découvert sa photo sur les affiches vantant des prêts rapides. Il m'a fallu dix minutes pour le replacer. La banque m'accorderait-elle un prêt si je disais que j'avais couché avec leur mannequin? Ou avec un de leurs caissiers? J'en aurais bien besoin.

Le Cookie Monster

J'ai vécu avec une pucelle de vingt-huit ans. Oui, vous avez bien lu. Elle n'était ni mormone ni adepte d'une secte, juste bête. On aurait dit qu'on lui avait cousu la chatte. Il faut être cinglée pour se priver volontairement d'un truc qui vous donne autant de plaisir et de douleur en même temps, non ? Voilà qui me dépassait. Et ça la dépassait aussi.

Je l'avais surnommée « Crétina ». On formait un drôle de couple, Crétina et moi. Elle avait des cheveux roux et bouclés, telle une Annie [1] qui aurait grandi. Tandis que je tournicotais dans le living en tongs, string et sous-tif tous neufs, elle était du genre à s'allonger sur le divan dans son pyjama Winnie l'Ourson boutonné jusqu'au cou pour avaler un pot de glace Ben & Jerry. Elle faisait des gâteaux, ne regardait que des reality shows à la télé et appelait ses parents pendant des heures dans le New Jersey. Je rentrais trois ou quatre fois par semaine totalement beurrée ou je ne rentrais pas du tout. Comme j'étais de deux ans sa cadette, elle se sentait responsable de moi.

---

1. Héroïne d'une célèbre bande dessinée, *Little Orphan Annie*.

Si jamais nous sortions ensemble, elle prenait le volant. Et les factures domestiques lui étaient adressées car elle voulait les contrôler. Crétina était d'une maniaquerie obsessionnelle : dès que j'étais couchée, elle se relevait, vérifiait que tout était éteint dans la cuisine et lavait à nouveau la vaisselle que j'avais lavée. J'avais l'impression de vivre avec Rain Man.

J'étais convaincue que les parents de Crétina étaient responsables de son inaptitude à la vie en société. Elle n'achetait ni un déodorant ni une stéréo sans demander l'avis de son père. Pendant nos deux ans de cohabitation, non seulement elle n'est pratiquement pas sortie le soir, mais elle n'a pas eu la moindre relation sexuelle. Elle préférait rester à la maison à regarder « Bachelor » – le gentleman célibataire – sur un écran géant offert par son papa. L'écran entrait à peine dans notre petit appart, sans parler de la haute résolution qui, du fait du manque de recul quand on était assises sur le canapé, déformait toutes les images. Pour voir quelque chose il fallait se tenir debout près de la porte de la salle à manger. Plus grave, elle détestait l'alcool. Il y a deux sortes de gens dont je me méfie : ceux qui ne boivent pas et ceux qui collectionnent les autocollants.

Je rêvais d'entendre Crétina dans une émission de Howard Stern [1] ou de la voir faire un strip-tease dans « Le Juste Prix ». Elle croyait que le Sénat était un biscuit. Lors d'une élection présidentielle, je lui ai demandé le nom des deux candidats. Elle a répondu :

— Oh ! Gore et Bush.

---

1. Présentateur radio connu pour ses jeux de mots obscènes.

— Bravo ! Et qui est le vice-président de Gore ?

— Je ne suis pas si demeurée que ça ! C'est Bush.

Sa chambre était tapissée d'affiches du groupe NSync. Comme si elle n'avait pas encore eu ses règles ! Elle prenait un bain chaque soir, mais jamais de douche. La première fois qu'un flic l'a arrêtée en voiture, elle a pleuré. Je lui ai expliqué que c'était inutile à moins d'avoir commis un assassinat.

Nous vivions ensemble quand le drame du 11 Septembre s'est produit. Elle n'a pas pris ça au sérieux car son père l'avait rassurée :

— Il n'y a pas de quoi s'inquiéter, lui a-t-il dit, ils ont déjà attrapé les types qui ont fait le coup.

À croire que cette tragédie faisait partie d'un épisode des *Drôles de dames* !

Une semaine plus tard, je l'ai conduite chez un concessionnaire où elle avait commandé une voiture. Le pays était placé sous « alerte rouge » et l'on ignorait quand nos armées envahiraient l'Afghanistan.

— C'est angoissant de savoir qu'on va entrer en guerre d'une minute à l'autre, je lui ai dit.

Elle a paniqué.

— Mon Dieu ! C'est donc aujourd'hui !

Crétina travaillait chez un fleuriste, ce qui lui allait très bien. Évoluer dans un cadre fait de roses l'aidait à accepter sa folie douce. Cela lui permettait d'oublier le monde alentour. Elle se levait à l'aube tous les jours de la semaine pour aller vendre des fleurs. Je n'ai jamais compris pourquoi des gens ont besoin d'acheter des fleurs à 7 heures du matin un mardi plutôt que se taper un bon petit déjeuner.

Crétina avait une passion pour l'animateur d'un reality show qui prenait son petit déjeuner à côté du magasin de fleurs. Elle passait la plupart de son temps devant la porte à guetter son idole au moment où il entrait dans le café. Ce qui lui permettait de jouer la surprise et de le saluer d'un petit bonjour décontracté. Ça et ses virées en voiture chaque soir devant sa maison faisaient partie de ses tactiques de harcèlement. Je lui ai dit qu'au lieu de dépenser son essence, elle ferait mieux de dégotter le code de son portable afin d'interroger sa boîte vocale.

Chaque jour, en rentrant à la maison, elle me rebattait les oreilles au sujet de ce type. Comment il lui avait dit qu'elle était jolie et lui avait souri en commandant ses œufs.

— Est-ce un signe si on aime tous les deux les œufs durs ? m'a-t-elle demandé un jour.

— Seulement si c'est le dimanche de Pâques !

Elle téléphonait ensuite à ses parents et leur racontait toute la scène. Un désastre ! Si jamais j'avais appelé mon père pour lui parler d'un mec, il aurait prétendu que la ligne était coupée !

Quoiqu'ils n'aient parlé que d'œufs et de leur grande considération pour le lapin de Pâques, Crétina était persuadée qu'il allait bondir de sa télé pour la demander en mariage. Elle avait autant de maturité qu'une gamine de sept ans. À nous deux, ça faisait quinze ans.

Au bout d'un an à entendre ses sornettes, j'ai capitulé. Plutôt que de l'écouter passivement, j'allais l'aider à le conquérir. Mais il fallait d'abord qu'elle perde son pucelage.

Il était temps d'engager un prostitué mâle. J'en avais utilisé un pour remettre d'aplomb mon amie Lily après une rupture. Elle avait été contente de ses services, un peu trop même. Elle s'était attachée à lui, et lui avait fait semblant d'être amoureux, ce qui m'avait coûté une fortune. Finalement il l'avait gentiment laissée tomber quand mon allocation chômage s'était arrêtée. Mais au moins, elle avait oublié son ex.

Ed était formidable. Belle gueule, corps superbe. Il était gentil, ce qui m'agaçait un peu, mais Crétina allait l'adorer. Et, sans être stupide, il ne passait pas son temps libre à observer des molécules. Ayant fait sa connaissance à une soirée pour filles célibataires, j'avais été ravie de rencontrer mon premier prostitué. J'avais souvent parcouru les rues de Hollywood à la recherche de l'âme frère sans trouver figure humaine.

Ed, qui se sentait coupable après ce qui s'était passé avec Lily, m'a promis un petit extra. Je n'ai pas compris ce que cela voulait dire exactement, mais j'ai espéré qu'il la sodomiserait.

Pour piéger Crétina, je l'ai emmenée à un concert des Backstreet Boys, la seule façon de la faire sortir de chez nous. J'ai songé à me suicider deux fois dans ma vie, et ce fut l'une des occasions. La vue de ces cinq types se pavanant sur scène m'a incitée à me poser des questions sur l'état de notre culture. Primo, où étaient leurs instruments ? Deuzio, y avait-il des filles que ça faisait jouir ? Pour mon malheur, j'en chaperonnais une. Crétina était proche de l'orgasme. À vrai dire, si elle avait réellement joui, elle n'aurait pas su ce qui lui arrivait.

Je m'étais organisée pour que Ed nous rencontre par hasard. Il devait se présenter comme l'imprésario des Backstreet Boys et proposer de nous emmener dans les coulisses. Il était particulièrement mignon ce soir-là et Crétina l'avait repéré avant moi, me désignant ce beau garçon assis au bar.

— Mon Dieu ! me suis-je exclamée, je connais ce type. Il s'appelle Ed. Je l'ai rencontré une ou deux fois. Qu'est-ce qu'il fiche ici ?

À voir l'excitation dans les yeux de Crétina, j'ai su que mon plan allait marcher.

On s'est approchées de lui et j'ai fait les présentations.

Ed lui a adressé son nouveau sourire à la Rembrandt.

— Ça alors, Crétina, Chelsea m'a caché qu'elle avait une colocataire plus jolie qu'elle !

Ce type maîtrisait son métier.

— Vraiment ! Comme c'est aaamusant !

C'était sa réponse automatique quand elle aimait quelqu'un, qu'il soit drôle ou pas.

Je les ai laissés seuls pour aller chercher l'âme sœur. Mais, très vite, je me suis sentie patraque. Mon estomac faisait des siennes et je transpirais beaucoup. Prise de nausées et m'appuyant contre un mur pour ne pas tomber, soudain, j'ai compris. Les Backstreet Boys me rendaient littéralement malade. Il fallait que je sorte. Heureusement, ça convenait à mes plans. Comment n'y avais-je pas songé ?

Je suis rentrée dans la salle pour expliquer à Crétina et à Ed que je ne me sentais pas bien. Comme je m'y attendais, ils étaient assis dans un box : il devait lui raconter des contes de fées qu'elle avalait avec délices. J'ai demandé à Ed de raccompagner Crétina.

Pendant une seconde, elle a paniqué, mais je l'ai rassurée en lui disant qu'elle était entre de bonnes mains et qu'il se conduirait en parfait gentleman.

Comme je vous le dis !

Dès que je n'ai plus entendu la musique, j'ai retrouvé la forme. Mon amie Jen étant invitée à une soirée donnée par des mannequins hommes, je lui ai passé un coup de fil. Sans même prendre le temps de me dire « bonjour », elle m'a annoncé :

— Ramène ton cul ici et en vitesse !

Jen est la colocataire d'Ivory et je l'appréciais de plus en plus, pour deux raisons : elle tenait bien l'alcool et, contrairement à Ivory, elle ne cherchait pas le grand amour. Elle ne sortait pas souvent mais, quand elle sortait, c'est qu'elle était en chaleur. La soirée promettait.

Je suis arrivée au Falcon un peu après onze heures. Il y avait des mannequins partout. Mais hélas, pas seulement des mecs. Pas de problème. Les défis, ça me bottait.

Jen était entourée de trois types qui s'appelaient tous Ross. Elle m'en a offert un et nous avons pris une table dans le fond.

En buvant un verre, je lui ai parlé de Crétina et de la mission secrète. Il a trouvé ça hilarant. Il riait à tout ce que je lui disais, ce qui peut être énervant, mais seulement le lendemain.

Il m'a confié qu'il détestait faire le mannequin et tout le bla-bla-bla habituel. Ses dents étaient si étincelantes que je me suis demandé s'il existait une marque de dentifrice blanchissant à laquelle seuls les mannequins avaient accès. Le type était sans surprise, mais j'avais connu pire.

Il a un certain avenir, s'il sait se débrouiller, j'ai pensé. Avec ma craquette, il avait un avenir certain – mais il n'était pas le seul.

Les autres Ross se sont joints à nous ainsi que Jen et un mannequin avec qui elle venait de faire amie-amie. Jen fait amie-amie très facilement. Ce qui ne m'a pas dérangée ce soir-là, car dès que la fille a ouvert la bouche, j'ai pensé qu'à côté d'elle Crétina aurait pu passer pour la fille d'Einstein. La preuve que rien n'est définitif. Elle n'a pas arrêté de ricaner et de parler de son perroquet qui disait tout le temps « caca ». Comme si c'était un vilain mot ! Finalement, on ne s'est plus occupés d'elle et je crois qu'elle s'est endormie sur la table.

Jen et moi sommes restées seules pendant que Ross 1, 2 et 3 sont allés chercher à boire. J'ai alors remarqué que mon Ross bavardait avec une fille au bar. Je ne suis pas jalouse, mais j'aime qu'on respecte certaines règles.

— Eh ! Ross ! ai-je crié.

Trois mecs se sont retournés.

— Non, pas vous !

Pour ne pas paraître mal élevée, je l'ai désigné avec deux doigts au lieu d'un seul.

— À qui parles-tu ?

Il m'a souri.

— Désolé, j'arrive tout de suite.

— Non, ça va. Tu peux parler à d'autres filles, mais quand tu partiras, ce sera avec moi !

Il m'a souri de nouveau.

— Ça marche !

Parfait. Je m'étais trouvé un mec et je pouvais maintenant m'occuper de Jen. De toute façon, je n'avais pas grand chose à dire à Ross et le peu que j'avais à lui raconter, mieux valait le garder au cas où je serais coincée. Jen m'a parlé de l'actuel petit ami d'Ivory, un certain Wang qui se coupait les ongles des pieds en plein salon, mais préparait des boissons aux fruits tous les matins. En laissant le mixeur dans l'évier.

— Pas terrible, ai-je commenté. Crétina ne tolérerait jamais un truc pareil.

— Et comme va Tarte aux fraises ? a demandé Jen.

— Quand je les ai laissés, ça avait l'air de coller.

Je lui ai parlé d'Ed et, après m'avoir dévisagée pendant trente secondes, bouche bée, elle a lancé :

— Vraiment, t'es une bonne copine.

— Oh, je ne peux m'empêcher d'être généreuse.

Quand le bar a été sur le point de fermer, j'ai récupéré mon mec. Il m'a suivie chez moi à Santa Monica. Il s'est garé dans la rue et nous sommes entrés sur la pointe des pieds.

Nous avons traversé l'appartement en silence. La porte de la chambre de Crétina était fermée, ce qui m'a laissée croire qu'Ed était en train de lui faire sauter son berlingot. Ai-je pris un somnifère ? En tout cas je me suis réveillée en entendant Crétina crier à tue-tête. Quant à Ross, il avait disparu.

J'ai regardé l'heure. Quatre heures et demie du matin. J'ai enfilé un tee-shirt et couru dans le vestibule. Ross était là, nu comme un ver, avec Crétina en pyjama genre *Le Monde de Nemo* qui continuait à hurler. Apparemment Ross avait cru que les toilettes étaient dans la chambre de Crétina. Et, dans l'état d'abrutissement où il se trouvait, il avait commencé à pisser sur place. Sur elle.

En raison de l'aversion de Crétina pour les inconnus en général, et les hommes en particulier, je ne ramenais jamais de type à la maison. Ce soir-là, j'avais pensé qu'elle serait occupée avec Ed. Et que, le lendemain, on aurait pu se raconter nos nuits en mangeant les pan-cakes en forme de cœur qu'elle aurait préparés.

Je m'étais bien gourée !

Je n'arrivais pas à comprendre Crétina tant elle criait. La seule fois où je l'avais vue dans le même état ? Quand j'avais annulé son abonnement à *Tiger Beat*[1].

J'ai dit à Ross de dégager. Il y avait de quoi. Il s'est confondu en excuses, mais rien n'y faisait : il avait juste l'air ridicule là, debout, à poil !

J'ai dû calmer Crétina. Pour la première fois qu'elle voyait une quéquette de près, il a fallu qu'il en sorte du pipi ! Pas le rêve, c'est sûr ! Moi, après ma première partie de jambes en l'air, j'ai été incapable de regarder une bite pendant deux mois. Elles ont l'air si bêtes.

Mine de rien, je lui ai demandé où se trouvait Ed.

— J'ai passé la meilleure soirée de ma vie, mais il ne m'a même pas embrassée en partant.

Quel connard ! Si seulement il avait été là, il aurait fichu Ross dehors et personne n'en aurait rien su. En prime, j'aurais eu mon lit pour moi toute seule.

Je me suis excusée mille fois auprès de Crétina et je lui ai juré que j'allais me débarrasser de Ross. Ensuite, je l'ai aidée à changer ses draps et à se faire un sham-poing. Malgré tout, notre amitié ne s'en remettrait jamais. Et je le savais.

Quand enfin elle s'est suffisamment calmée pour s'endormir, je suis retournée dans ma chambre. Ross

---

1. Magazine people.

104

était sur mon lit, visiblement dans les pommes. Il devait s'en vouloir à mort d'avoir pissé sur ma colocataire.

— Ross! Ross! ai-je crié en le giflant.

— Ce n'est même pas mon nom, a-t-il grogné.

— Comment?

— Je te répète, ce n'est pas mon nom!

Voilà qu'il râlait! Manquait plus que ça!

— Mais tu m'as dit que tu t'appelais Ross!

— Non, c'est toi qui as décidé de m'appeler comme mes deux copains. T'as trouvé ça drôle.

— Peu importe. Il faut que tu bouges ta voiture avant six heures à cause du service du nettoyage.

— Un samedi?

— Oui, hélas.

Il m'a alors demandé s'il pouvait revenir plus tard. Quoi? Pour que tu me pisses dessus? ai-je pensé.

— Non, je dois aller à l'église de bonne heure.

— Mais on est samedi.

— Je vais au temple.

Je crois qu'il a enfin compris. En tout cas, il a compris quand il s'est rendu compte que notre rue n'était jamais nettoyée. J'ai décidé que, dorénavant, je m'assurerais que mes jules ne pissaient plus au lit. Ce serait l'une de mes nouvelles priorités.

Il s'est avéré qu'Ed avait trouvé Crétina trop bête. Il m'a fait ses excuses, il avait été incapable de lui briser le cœur ni de l'écouter une seconde de plus. L'histoire du Roi Lion n'était digestible qu'à toute petite dose.

Le lendemain, j'ai acheté un karaoké pour Crétina en lui promettant qu'elle pourrait s'exercer à devenir une star de la chanson.

— Vraiment ? s'est-elle étonnée. Tu crois que ça peut marcher ?

— Évidemment ! Comment crois-tu que Yanni a commencé ?

Ed a regretté que les choses se soient passées ainsi. Il n'avait jamais failli à la tâche. Nous sommes donc convenus de coucher ensemble. Tu parles d'une corvée !

Docteur, docteur !

La plupart de mes copines préfèrent avoir des masseuses, des gynécologues, des thérapeutes qui soient des femmes. Moi, je préfère les hommes. Ils nous comprennent mieux et je suis plus à l'aise si je dois me déshabiller devant eux. Leurs mains sont plus fortes et ils semblent plus sûrs d'eux. Enfin, ils ont des pénis. J'adore les pénis.

Ivory venait de changer de gynécologue. La précédente lui avait fait la tête quand elle était venue la consulter pour la troisième fois en un mois. Elle avait dû prendre Ivory pour une malade imaginaire de la foufoune.

Elle avait raison. Après avoir eu une relation sexuelle ou ses règles, Ivory prenait rendez-vous avec son gynéco pour vérifier que tout était en place. Elle a voulu me faire croire que c'était par souci d'être toujours au mieux de sa forme orgasmique. Mais, la connaissant bien, je savais la vraie raison : la panique. Elle était terrifiée à l'idée d'attraper une sale maladie. Elle était du genre à craindre que son clito soit exposé à des rayons ultraviolets si ses Kotex ultra étaient restés au soleil trop longtemps. Comme si ses Kotex avaient décidé de se lever au milieu de la journée pour aller bronzer. Une fois, Ivory m'a même demandé si on pouvait attraper des morpions en faisant une pipe !

Ma réponse – sachant que les morpions sont attirés par les zones poilues :

— Seulement si tu as des moustaches.

Après son premier rendez-vous chez le docteur Luke, elle est venue directement chez moi. Elle rayonnait.

— Tu n'imagines pas comme il est sexy.

En matière d'hommes Ivory a le goût sûr. Si elle l'avait trouvé sexy, ça devait être vrai.

— Il est drôle, sexy, intelligent et célibataire !

— Parfait ! Sors donc avec lui !

— Impossible. Je suis avec Jackson depuis deux mois. On s'est juré fidélité.

Jackson et Ivory. Il était le chanteur d'un groupe dont j'ai oublié le nom. Putôt sexy, mais avec ses cheveux plus longs que ceux d'Ivory, il donnait l'impression de cacher quelque chose dans ses mèches. La famille d'Ivory avait beaucoup d'argent. Ses parents cubains avaient créé une affaire de toilettage de chiens qui marchait du tonnerre avec quatorze succursales. Elle avait l'habitude de sortir avec des mecs riches. Et comme elle n'était pas le genre de fille à tomber raide d'un musicien, ça m'étonnait qu'ils soient ensemble. N'ayant vu son groupe que deux fois, je ne savais rien de Jackson. Sauf qu'il faisait d'excellents broute-mimis.

— Pas de chance, ai-je dit. Tu devras attendre d'en avoir fini avec Jackson. Dans l'intervalle, tu apprendras à mieux connaître ton beau docteur.

— Sors avec lui!

L'idée d'avoir une histoire sérieuse avec un spécialiste vaginal m'a bottée.

— D'ac. Mais d'abord, je dois prendre rendez-vous avec lui. Je veux m'assurer qu'il sait se servir d'un spéculum.

— T'es la meilleure! Je savais que tu le ferais. Il faut que tu couches avec lui. Grâce à toi, je vais faire ça par procuration.

— Bon, je vais me débrouiller.

C'était la première fois qu'Ivory me demandait un vrai service. Bien sûr, je lui avais déjà apporté des médicaments quand elle était malade ou emmenée à l'aéroport. J'étais flattée qu'elle me fasse confiance pour cette importante mission. Coincée comme elle l'était, elle avait de la chance de pouvoir compter sur moi.

J'ai immédiatement pris rendez-vous avec le docteur Luke. Mais il ne pouvait me recevoir que dans quinze jours. Je ne travaillais pas, mon emploi du temps était terriblement creux et j'ai donc accepté. Un agréable après-midi en perspective!

J'ai ensuite appelé mon esthéticienne pour me faire épiler. En arrivant chez elle, je lui ai demandé une épilation en forme de message, genre « Quoi de neuf, docteur? ».

— Votre tête de vagin n'est pas assez grande pour une telle phrase.

J'ai adoré l'expression « tête de vagin » et j'ai été impatiente de la replacer dans une conversation.

On est convenues d'une épilation brésilienne – mais d'abord j'ai dû me shooter à la codéine. J'ignore qui a inventé l'épilation, mais c'est la même personne qui a mis au point la codéine.

Enfin, le mardi tant espéré est arrivé. Pour jouer les femmes d'affaires, j'ai mis un tailleur. Le fait qu'il me verrait à poil ne m'est pas venu à l'esprit.

J'étais nerveuse en entrant dans son cabinet. Et s'il n'aimait pas ma foufoune ? Et si les foufounes bizarres le faisaient rire ? En général, je suis sûre de moi, mais je voulais le séduire. Pas question de décevoir Ivory. Qu'elle m'ait fait confiance me donnait une certaine responsabilité. J'ai rempli le questionnaire médical et respiré à fond.

Quand on m'a appelée, je suis allée dans la salle d'examen, où l'on m'a donné une sorte de peignoir qui ne ferme pas et dont le dos a la taille d'une serviette de table. Si je me tenais droite sur mon siège, le Dr Luke découvrirait ma raie des fesses. Comme première vision, ce n'était pas l'idéal. Je me suis serrée dans mon peignoir et me suis étendue.

Il est entré. Il était plus âgé – la bonne trentaine – et aussi sexy qu'Ivory l'avait décrit. Il m'a fait penser à un Richard Gere amical. Très chaleureux, même. Il m'a souri de toutes ses dents, ce qui présageait de sa gentillesse avec ses patientes. J'ai espéré que sa gentillesse serait la même au lit.

Il m'a plu immédiatement. Ivory devrait organiser des mariages. J'ai croisé les jambes et je me suis appuyée sur mes coudes. Comme si je posais pour *Playboy*.

— Vous êtes mademoiselle...

— Appelez-moi Chetsy – enfin Chelsea.

Je lui ai décoché mon plus beau sourire. On se serait crus à un pique-nique.

Docteur, docteur !

— Très bien, Chelsea, appelez-moi donc docteur Luke.

— Oh, merci beaucoup !

Nous avons éclaté de rire. Il était très amusant.

— Vous venez me voir pourquoi ?

— Oh, rien de spécial, juste mon frottis annuel.

— Je vois dans votre dossier que votre dernier frottis remonte à deux mois seulement.

— C'est bizarre, j'avais l'impression que ça faisait bien plus longtemps.

— Écoutez, c'est inscrit sur les tests que votre docteur m'a envoyés.

— Vous savez, il travaille un peu du chapeau, si vous voyez ce que je veux dire. C'est pour ça que je suis venue ici. Il est temps qu'il prenne sa retraite.

— Je comprends.

Les choses ne se déroulaient pas comme prévu. Il ne devait pas m'infliger un tel interrogatoire.

— Bon, commençons. Couchez-vous et détendez-vous. Je vais vérifier que tout est en ordre.

J'ai remarqué, accrochées au mur, des photos de lui sur des voiliers.

— Vous naviguez ? ai-je demandé quand il m'a fourré quelque chose de froid dans le zizi.

— Oui, dès que j'ai un instant de libre.

— Quelle coïncidence, moi aussi !

Si j'avais vu des photos d'hommes qui se dévoraient, j'aurais prétendu être cannibale.

— Vraiment ? Vous sortez souvent en mer ?

— Dès que je peux.

— Vous avez un bateau ?

111

— Oui, il est actuellement en réparation. C'est un petit Boston Whaler.

Je me suis rendu compte que ce n'était pas un voilier.

— Quel genre de problème a-t-il ?

— Un pneu crevé, j'ai dit dans la panique. Enfin, non, je veux dire une fuite d'huile.

— Vous faites des courses ? a-t-il demandé en regardant entre mes cuisses.

— Non, mais j'adore les suivre. La voile a toujours été mon sport favori.

Je parlais à tort et à travers. C'était peut-être n'importe quoi. Il était urgent que je change de sujet avant qu'il s'aperçoive que ma seule expérience avec les sports nautiques était le toboggan du plan d'eau d'un parc d'attractions.

— Le week-end prochain, il y a une régate à Catalina, a-t-il dit.

— Oui, je suis au courant. J'aurais dû y aller, mais comme je n'ai pas mon bateau, je vais la rater. C'est dommage, je me faisais une fête d'y assister.

— J'y vais avec mon associé.

Il ne m'a pas regardée en disant ça. Était-ce une invitation ?

— Vraiment ! Je l'envie ! Ça va être sensationnel.

— Vous savez, vous pouvez prendre un ferry pour Catalina depuis Long Beach.

Tant pis pour l'invitation.

— Oh, je sais, mais ce n'est pas pareil.

— Bon, je ne vois rien qui cloche. Nous aurons les résultats du labo dans une quinzaine de jours. Je vous avertirai s'il y a un problème.

— Parfait. Merci beaucoup. Je n'ai rien senti.

J'ai failli lui dire que c'était le meilleur frottis de ma vie, mais j'ai eu peur d'en faire trop.

— Vous aviez l'intention d'aller à Catalina avec quelqu'un? a-t-il voulu savoir en m'ouvrant la porte.

— Oui, avec une amie, aussi fana que moi.

— Eh bien, si vous êtes coincée, je serai ravi de vous emmener jusqu'à l'île. Ça n'a rien de folichon, juste le docteur Wheeler et moi, mais une malade en difficulté...

— Je ne voudrais pas m'imposer.

— Je vous en prie, vous me rendez service. Je serai enchanté d'avoir quelqu'un qui sache naviguer. Le docteur Wheeler n'est pas très doué.

J'ai hésité à m'engager, mais le docteur Luke était de plus en plus sexy et l'imaginer en short, cheveux au vent, m'a fait frissonner.

— Ce serait formidable! Vous êtes sûr qu'on ne vous dérangera pas?

— Pas du tout. Nous serons heureux d'avoir des jeunes avec nous. Appelez-moi un peu plus tard dans la semaine et nous fixerons rendez-vous.

— Merci mille fois!

Quel type charmant! Et si facile. Sauf pour le côté navigation.

Laquelle de mes copines méritait de passer un week-end à Catalina avec un toubib? Ivory serait très jalouse, mais c'est elle qui avait commencé. La réceptionniste m'a donné le numéro personnel du docteur. Puis j'ai foncé dans une librairie m'acheter *Yachting pour les nuls*.

En rentrant à la maison, mon portable a sonné. C'était Rory, ma meilleure amie au lycée. Elle était sortie de l'université de Pennsylvanie avec un diplôme en psychologie. Puis elle avait déménagé à Los Angeles pour poursuivre une carrière d'actrice. Au lieu de ça, elle avait poursuivi les mecs, l'un après l'autre.

— J'ai besoin d'une excuse pour annuler un rendez-vous avec un connard d'anesthésiste, vendredi prochain. L'autre soir, je lui ai demandé de me filer des somnifères et il m'a regardée comme si j'avais voulu qu'il me baise dans l'œil. Je n'en peux plus de ce type.

— Tu n'as qu'à lui dire que tu passes le week-end à Catalina avec ton nouveau jules, un gynécologue.

— Si seulement !

— Non, c'est vrai ! Nous allons pour de bon à Catalina ce week-end avec mon nouveau gynéco et son associé.

— Déconne pas !

— Pas du tout. Sur un voilier.

— Je t'adore.

— J'ai jamais vu l'autre type, mais il est toubib.

— Il a des somnifères à sa disposition ?

— Sans doute.

— Dis-moi que tu as tout organisé pendant qu'il te palpait les seins.

— Encore mieux que ça !

— Je suis ravie. Je te rappelle.

Rory et moi avons retrouvé nos étalons au dock de la marina. Le docteur Wheeler se prénommait Matthew. Il n'était pas aussi beau que le docteur Luke, mais il était mignon, en plus sombre et plus mystérieux. Rory a tout de suite été sous le charme de mon gynéco, mais je lui ai dit « pas touche ».

Docteur, docteur!

Le bateau était superbe. Immense et blanc avec d'énormes voiles. Impossible de faire semblant. J'avais apporté beaucoup d'alcool pour me donner une excuse, mais je n'ai pas eu à m'en faire. Un autre couple avait été invité et c'était des spécialistes. Le docteur Luke m'a donc prévenue que pour participer aux manœuvres, je devrais m'imposer, car ses amis Lori et Glen étaient formidables à la barre.

— Bon, je verrai, ai-je répondu sans me mouiller.

Une heure après avoir levé l'ancre, le docteur Luke a sorti un sac plein d'ecstasy. Un gynéco qui se camait! Le paradis sur terre! Quand il nous a demandé si on aimait se shooter, j'ai cru que Rory allait pisser dans sa culotte. Mais Matthew nous a conseillé de rester discrètes car Lori et Glen n'étaient pas « partants ».

On a avalé nos pilules avant de remonter sur le pont. Était-ce le plus beau jour de ma vie? Rory et Matthew se sont mis à discuter ferme d'événements mondiaux et de la vie sur d'autres planètes. Deux sujets qui me passionnaient autant que la vente de la Louisiane par Napoléon : j'ai donc attendu sagement l'occasion de me mêler à leur conversation.

C'est alors que j'ai remarqué un drôle de truc : plus Matthew buvait et parlait vite et plus j'ai eu l'impression que quelque chose clochait chez lui. J'ai regardé le docteur Luke pour voir sa réaction, mais il ne faisait pas attention à moi. Avais-je une sale tête? Impossible! Le matin même je m'étais fait faire un soin du visage et j'avais été chez le coiffeur. Même Tarzan aurait été attrayant après un tel traitement. Au milieu d'une histoire de Matthew, Rory s'est penchée vers moi pour me murmurer :

— Je l'excite.

Je pensais le contraire, mais je n'ai pas voulu jouer les rabat-joie.

— Je sais, essaye d'être seule avec lui.

Ce qui s'est révélé une mission impossible. Matthew n'arrêtait pas de nous raconter qu'il avait des visions de ses parents morts, ce qui me laissait peu d'occasion de faire mieux connaissance avec le docteur Luke. Il fallait que je lui parle pour le séduire, pour qu'il s'occupe un peu plus de moi, mais tout ce que j'essayais tombait à plat.

Nous en étions à notre troisième bouteille de veuve-cliquot, quand Matthew a déclaré qu'il allait « aux gogues ». C'était le moment d'entrer en scène. J'allais enfin pouvoir parler de ma théorie sur le nanisme et les rapports entre les nains et la Petite Ourse. Le docteur Luke ne manquerait pas de trouver que je n'avais pas seulement une jolie tête, mais une tête bien faite.

— Je descends chercher du fromage et des biscuits, a-t-il annoncé en s'esquivant.

Deux secondes plus tard, Rory s'est levée.

— Je vais en bas me farcir Matthew.

L'ecstasy commençait à faire son effet mais, contrairement au reste de l'humanité, il ne me donne pas envie de baiser. Certes, j'ai envie d'embrasser un mec, mais pas plus. Je préfère demeurer au grand air à regarder les étoiles et à rêvasser à la vie que j'aurais menée si j'avais été une championne professionnelle de basket-ball.

J'ai dit à Rory qu'elle pouvait faire ce qu'elle voulait du moment qu'elle me fichait la paix, car je me sentais de mieux en mieux. Cinq minutes plus tard, elle est remontée, l'air hilare, et m'a saisi le bras.

— Tu planes ? ai-je demandé.

— Ouais, et je ne suis pas la seule. Viens avec moi.

— Laisse-moi tranquille, tu peux l'avoir pour toi toute seule.

J'aurais été ravie de ne plus jamais voir quelqu'un de ma vie. Je planais vraiment.

— Les mecs nous attendent.

— Où ?

— En bas. Allons, viens !

— Bon, d'accord.

Je l'ai accompagnée. En nous approchant de la cabine, j'ai entendu un bruit parfaitement reconnaissable venant de l'autre côté de la cloison. Puis, j'ai vu un spectacle extrêmement choquant quand Rory a poussé la porte. Matthew enfilait le docteur Luke. Il faisait ça en levrette, tenant la tête du bon docteur et lui tapant sur les fesses. Incroyable ! J'ai eu envie de me précipiter pour protéger l'honneur du docteur Luke, sauf qu'il avait l'air de prendre son pied. De plus, j'étais un peu dégoûtée. Je n'avais jamais vu deux hommes faire l'amour pour de vrai. Rory, elle, arborait un immense sourire. Elle adorait les situations conflictuelles.

Tant d'émotions se bousculaient dans ma tête que je suis restée figée sur place. Je n'ai réussi qu'à crier :

— Arrêtez !

Matthew et le docteur Luke m'ont regardée avec des visages illuminés par l'ecstasy et ont continué comme de rien.

— Qu'est-ce qui se passe ici ? ai-je demandé.

J'avais la voix de mon père.

Rory semblait jouir de ma déception. Sans baisser la voix, elle a répondu :

— On dirait qu'ils sont pédés !

— Mais non, c'est son associé.

— Oh, Chelsea, réveille-toi !

Oh, merde ! J'ai enfin compris ce qu'il avait voulu dire en parlant de son associé. Je n'arrivais pas à le croire. J'étais trop shootée pour encaisser le coup. J'ai proposé à Rory de nager jusqu'au bord.

Nous sommes vite remontées sur le pont où Lori et Glen nous ont assuré que nous étions à vingt minutes de Catalina. Parfait. On prendrait une chambre dans un hôtel et le ferry le lendemain.

J'ai convaincu Rory de ne pas péter les plombs, on s'amuserait d'une façon ou d'une autre. L'important était de ne pas penser à ce qui venait d'arriver ni à ce que j'avais vu. Je devais réagir d'une façon positive – du moins essayer. Rory a piqué quatre pilules d'ecstasy et les a fourrées dans son sac.

— Bien joué ! ai-je dit.

En arrivant au port, le docteur Luke et Matthew ont refait surface. Ils n'ont pas cessé de se peloter. C'était pénible à voir, comme si votre petit ami vous trompait avec un homme. Cependant Rory a continué à rire et finalement j'ai ri aussi, et puis ces deux-là ont éclaté de rire à leur tour. Ils se sont approchés de nous, l'air salace. Le docteur Luke m'a touché les seins et m'a proposé de partouzer avec son associé et lui. « Oh, vous avez cinq ans de retard », ai-je eu envie de dire, mais j'ai essayé de changer de sujet.

Docteur, docteur!

— Regarde les étoiles.

Rory leur a annoncé qu'elle n'était pas prête à se faire sodomiser. Et que nous partirions dès que le bateau aurait accosté.

— On ne t'a rien demandé, lui a répondu le docteur Luke.

— Je rêve! a rétorqué Rory, furieuse.

Je leur ai vite dit que nous aurions été heureuses de rester plus longtemps, mais que nous devions retrouver des amis et qu'il fallait qu'on se tire. Sans jeu de mots.

En débarquant, nous avons pris d'autres pilules et véritablement plané en cherchant un hôtel. Nous n'arrêtions pas de regarder le ciel, ce qui ne facilitait pas notre tâche. Au bout d'un moment, en manque d'eau, nous sommes entrées dans un bar où cent cinquante couples dansaient le swing. Le barman nous a expliqué que nous étions tombées en plein festival de swing et que nous aurions du mal à trouver une chambre libre. Je n'avais jamais entendu parler d'un truc pareil. Il n'y avait plus qu'une solution : entrer dans la danse! Ce que nous avons fait jusqu'au petit matin à l'aide de nos précieuses pilules. Puis, quand la fête s'est terminée, nous sommes allées sur la plage assister au lever du soleil. C'était la première fois depuis la fête de fin d'études au lycée! Ensuite, on a pris le premier ferry pour Long Beach et un taxi jusqu'à Santa Monica. En route, Rory m'a reproché d'avoir perdu la main depuis le lycée. Je lui ai rappelé que j'avais été la reine de la partouze. Du coup, elle l'a bouclé.

En apprenant les mauvaises nouvelles, Ivory a été très déçue. Elle est retournée voir son ancien gynéco et moi aussi. Quelques mois plus tard, je suis tombée sur le docteur Luke dans un bistrot de la marina. J'étais avec un nouveau petit ami et le docteur Luke avec le plus grand noir que j'aie vu de ma vie. En les apercevant, j'ai serré les fesses. Littéralement. Comme le docteur Luke s'approchait de notre table, je me suis levée et, lui tournant le dos, j'ai foncé vers ma voiture. Je ne pouvais me permettre une prise de bec avec ce type devant mon copain. Surtout qu'il n'aborderait que trois sujets : ma foufoune, son cul et l'ecstasy volé.

J'ai appelé mon copain sur son portable pour lui demander de me retrouver à l'extérieur :

— Ce mec est dingue. Il n'arrête pas de me harceler. Je n'ai aucune envie de discuter avec lui.

— Il m'a semblé plutôt normal. Il a voulu savoir si ton bateau était réparé. Je ne savais pas que tu en avais un.

Oh, la ferme !

Shoniqua est une de mes meilleures amies. Elle est noire, mesure près d'un mètre quatre-vingts et a un cul comme un camion. Je l'ai surnommée la Tonne.

À côté d'elle, j'existe à peine, ce qui ne m'arrive pas souvent. Elle a une formidable personnalité. Elle entre dans une pièce bondée et, en quelques secondes, tout le monde est à ses pieds. Quand je suis avec Shoniqua, je m'assieds tranquillement dans un coin, je me relaxe et assiste au spectacle.

Depuis dix ans que nous sommes amies, elle est avec le même homme – qu'elle a épousé il y a cinq ans. C'est un vrai Africain du Nigeria, sûrement porté sur le vaudou. Un seul coup d'œil lui suffit pour décider si une personne convient ou pas à Shoniqua. La première fois que je l'ai rencontré, j'ai eu les boules. J'étais tellement imbibée d'alcool que je craignais qu'il prenne ça pour un mauvais présage. Heureusement, il m'a trouvé sympa, bien qu'un peu paumée quant à la façon d'envisager mon avenir. C'était mieux que de m'entendre qualifier de « poufiasse », et nous sommes devenus amis.

J'ai connu Shoniqua à l'époque où je faisais un numéro comique dans un minuscule café-théâtre de Alta Dena. Elle y dirigeait un spectacle de chansonniers noirs pour un public noir, mais n'était pas hostile à ce que des blancs viennent participer ou assister aux représentations, quoique ce quartier ait été à minorité blanche.

La scène de Shoniqua était un endroit idéal pour mon numéro. Le public noir a beaucoup d'humour. Difficile de le faire rire au début mais, une fois gagné, il est vraiment enthousiaste. J'aime les défis, j'ai donc décidé que m'intégrer à mes frères blackos deviendrait mon nouveau challenge.

La première personne que j'ai vue au café-théâtre était la mère de Shoniqua qui, comme on pouvait s'y attendre, était noire elle aussi.

— Qu'est-ce qu'une fille juive, blonde aux yeux bleus, fabrique dans les parages ? a-t-elle voulu savoir.

Je lui ai fait alors un chèque de cent dollars en lui demandant d'être gentille. Elle a empoché le chèque et m'a demandé de lui payer une Corona. De la bière dans un café-théâtre dépourvu de licence ? Cela me dépassait. Mais au moment où la fille derrière le bar a sorti une Corona givrée d'une glacière portative, j'ai compris que, dans le coin, la loi du business était différente.

J'étais très nerveuse en montant sur scène. Pourtant tout a bien marché grâce à une spectatrice de cent soixante kilos qui braillait et hurlait de rire à chacune de mes blagues. Le public étant clairsemé, je n'ai entendu personne d'autre rire. Mais j'étais contente de moi. J'ai donc demandé à Shoniqua si je pouvais revenir. Elle m'a assuré qu'a priori elle n'avait rien contre les culs-blancs. Serais-je d'accord pour une pollinisation croisée ? a-t-elle ajouté. Sans doute, mais je voulais prendre mon temps et ne pas mettre la charrue devant les bœufs.

Finalement nous sommes devenues les meilleures amies du monde. Et, deux ans plus tard, nous avons projeté de partir en week-end à New York.

Nous avons réservé deux chambres au Peninsula Hotel, car Shoniqua n'aimait pas partager sa chambre. Pour moi, c'est tout le contraire, surtout avec des filles. Ça me rappelle mon enfance quand on passait la nuit entre copines : on bavardait jusqu'à l'aube et on plongeait les doigts de la fille qui s'endormait la première dans un verre d'eau chaude pour qu'elle fasse pipi au lit. J'ai fait le coup une fois à Shoniqua, mais, sans témoins, ce n'était pas aussi marrant. Le lendemain matin, lorsqu'elle s'est rendu compte de ce qui s'était passé, elle a failli me massacrer. Comme elle était bien plus forte que moi, j'ai passé près d'une demi-heure à repousser ses assauts. Avec ses longues jambes et ses bras puissants qui m'attaquaient de partout j'avais l'impression de me battre avec un poulpe géant. Après cet épisode, il a fallu un bon bout de temps avant qu'elle consente à m'adresser la parole. À contrecœur, j'ai accepté qu'à l'avenir nous fassions chambres séparées. Ça ne m'amusait pas, mais je voulais regagner sa confiance.

Le deuxième soir de notre séjour à Manhattan, le concierge nous a indiqué un nouveau restaurant, le Tao. L'établissement était complet, nous n'avions pas de réservations. C'est alors que Shoniqua a pris les choses en main.

Elle a appelé le restaurant en se faisant passer pour les producteurs de la série télé *Friends,* et en sous-entendant que Monica [1] et Chandler pourraient nous rejoindre. Je lui ai rappelé que ce n'était pas leurs vrais noms, mais elle avait déjà raccroché.

— On a une table, m'a-t-elle assuré.

— Vraiment ? Et comment allons-nous dégotter Monica et Chandler ?

— Écoute, ma salope, ils n'en auront rien à battre.

Elle avait raison. Ils s'en sont contrefoutus. Mais ils nous ont longuement dévisagées en se demandant comment deux filles de vingt-sept ans pouvaient produire autre chose que des bouts d'émissions destinées aux gosses. J'ai gardé la tête baissée pour ne pas rencontrer le regard des gens. Shoniqua, en revanche, a profité un max de la situation.

— Bonsoir, nous sommes ravies d'être là ce soir. Notre table est prête ? a-t-elle interrogé avec un large sourire qui lui donnait l'air d'un bouc en chaleur.

Une fois assise, elle a déclaré à l'hôtesse :

— Veillez à ce que la maison nous offre un verre. Nous avons eu un long vol. J'aimerais quelque chose de sucré.

— Ne faites pas attention à elle ! ai-je dit à l'hôtesse.

— Ta gueule, grognasse !

Puis se tournant vers l'hôtesse, elle a insisté :

— Ne faites pas attention à ce qu'elle dit.

L'hôtesse, dans ses petits souliers, nous a souri en s'éloignant.

---

1. Personnages célèbres de la série.

Oh, la ferme !

— Arrête de déconner, pourquoi dois-tu toujours faire ton cirque ?

— Écoute, ma salope, ils ignorent qui nous sommes, alors profitons-en. Je ne suis pas juive comme toi – d'accord ?

Pour Shoniqua, être juive signifiait que j'étais née avec un énorme compte en banque qui était alimenté sans cesse par la banque d'Abraham. Plusieurs fois, j'avais dû lui expliquer que nous n'étions que de pauvres juifs fauchés et qu'en matière d'héritage le seul trésor que mon père me destinait était une Yugo 1985 sans radiateur. Elle préférait ne tenir aucun compte de mes explications et se concentrer sur le fait que nous possédions une villa au bord de la mer.

Le dîner a été délicieux. Je lui ai fait connaître le foie gras, les steaks Kobe et les filets de dorade crue. Shoniqua était la contradiction incarnée. N'achetant jamais un sac ou une paire de lunettes ailleurs que chez Prada, Gucci ou Chanel, mais incapable de prononcer filet mignon et encore moins, dans le cas présent, d'en manger avec des baguettes. Je ne suis pas la fille la plus sophistiquée de la terre, mais, mon frère Ray étant cuisinier, je sais discerner ce qui est consommable de ce qu'il vaut mieux remplacer par de l'alcool.

Quand je sortais avec Shoniqua, nous nous éclations. Cette nuit-là n'a pas été différente. Elle me régalait d'une histoire qui était arrivée à l'un des cent sept enfants élevés par sa mère, quand, du coin de l'œil, j'ai repéré un mec bandant genre péruvien.

Il était au bar, appuyé contre une cloison en verre et nous regardait. Il était grand, la peau mate, les cheveux noirs et frisés. Son nez était un peu crochu, mais pas de quoi dépareiller le tableau.

J'ai indiqué à Shoniqua qu'un beau spécimen de la gent masculine se tenait derrière elle, mais de ne pas se retourner tout de suite.

— Ouais! Ouais! Ouais! a-t-elle crié d'une voix qu'elle voulait ensorcelante tout en cognant contre la cloison de verre comme si nous étions assises du mauvais côté d'un aquarium.

Bouc en chaleur était de retour.

Autour de nous, dans un rayon de sept mètres, on nous dévisageait.

— Salut! a-t-elle hurlé de nouveau en cognant sur la vitre.

Je me suis tassée sur ma chaise en songeant à utiliser ma serviette sale comme un tchador. Shoniqua est très douée pour aborder les mecs car, étant mariée, elle se fout complètement de ce que le sexe opposé pense d'elle.

— J'ai un mari, avait-t-elle l'habitude de me répondre quand je lui demandais de mettre la sourdine. Et je me casse le cul pour t'en trouver un.

Elle et son mari s'entendaient à merveille, sans doute parce qu'ils n'avaient pas d'enfant. Ils ne cessaient de se faire des surprises, genre week-ends improvisés ou déluges de cadeaux. Ils se téléphonaient dix fois par jour. Récemment, j'ai compris que j'avais besoin d'un type comme lui. Mais en blanc.

Les hommes adoraient la franchise de Shoniqua et elle les séduisait. Comme partenaire de drague elle était parfaite. Nous avions mis au point une technique efficace dite « à deux coups » : elle parlait à ma proie de religion, de patrie et de son banquier de mari. J'intervenais de temps en temps, histoire de rappeler qu'il serait bientôt dans mon lit et pour dire que les documentaires télé de National Geographic ressemblaient de plus en plus à des épisodes de *Crimes à Miami*.

— Il s'amène, a prévenu Shoniqua. Tâche de ne pas tout foutre en l'air.

Mon bellâtre basané s'est avancé et a pris place à côté de Shoniqua. Il mesurait un mètre quatre-vingts, avait des yeux noirs et tristes et un léger sourire charmeur. J'allais coucher avec lui, j'en étais certaine.

— Bonsoir, mesdames, a-t-il dit avec l'accent d'Antonio Banderas.

Les accents ont un drôle d'effet sur moi : ils me donnent envie de me déshabiller et de me tripoter. C'est comme ça. Je suis seulement allergique à l'accent anglais. J'ai eu un copain natif de la perfide Albion dont l'accent m'a charmée les deux premiers mois parce que je ne comprenais pas un mot de ce qu'il disait. (Il me faisait penser au héros du feuilleton *Chasseur de crocodile*. Pendant les deux premiers épisodes, on se dit que ce type est formidable. Ensuite, on a envie de se déguiser en alligator et de lui bouffer la main.) Notre période de lune de miel terminée, j'étais prête à lui crier : « Arrête de parler comme ça, bordel ! Prononce comme moi ! Essaye donc ! » Pas une aubaine pour un mec qui n'avait même pas été circoncis. Je n'ai jamais compris pourquoi les Européens n'étaient pas circoncis. La moitié d'entre eux termine ici, de toute façon !

L'accent de mon mignon don juan était fort et sexy. Par moments, je le comprenais à peine. Mais c'était peut-être la faute de mon ouïe défaillante qui était à l'unisson de mon foie défaillant, que je ne cessais de torturer.

— Mon foie, lui disais-je de temps à autre, comme moi tu ne vis qu'une fois, et tu devrais en profiter.

Mon Péruvien était ingénieur et visitait New York. J'ai eu des visions de lui en train de capturer des anacondas dans l'Amazone et j'ai oublié la réalité.

Il n'arrêtait pas de me zieuter pendant que je bavardais avec Shoniqua, ce qui était mignon et rassurant étant donné que nous allions nous retrouver au lit. Selon son habitude, Shoniqua menait la conversation à son gré. Elle a découvert qu'il venait en Amérique pour la première fois et qu'il s'appelait Lupe. J'avais toujours cru que c'était l'abréviation de Guadalupe, un prénom féminin. Pour éviter d'amener la conversation sur le sujet et donc pour retarder le moment où les gens me regarderaient d'un air déçu, je me suis éclipsée soi-disant pour prendre l'air.

Je suis sortie en griller une. Au coin de la rue, juste à côté du café, j'ai aperçu un autre petit lot vraiment sympa. Mes sept margaritas ont immédiatement embrayé.

— Salut, viens par ici, ai-je raconté. Serais-tu d'accord pour m'accompagner à l'intérieur et te faire passer pour mon petit ami ? Il y a un type à notre table qui ne veut pas partir et je veux lui faire croire que je suis en mains.

C'était le moment d'appeler des renforts. Il fallait que Lupe sache que j'étais un morceau très convoité.

J'ai fait ma fière en revenant à notre table, main dans la main avec mon nouveau mec.

Oh, la ferme !

Je me suis assise près de Lupe et j'ai fait les présentations. Shoniqua m'a dévisagée et m'a flanqué un coup de pied costaud. Pendant ce temps, je m'étais lancée dans une étude comparative. Lequel des deux était le plus mignon ? Le nouvel élu n'avait pas d'accent et tout juste vingt et un ans. Mon Péruvien avait toujours son accent et dans les trente-cinq ans. Le jeunot a alors dit qu'il était promoteur de raves et mon choix s'est fait tout seul.

— Ça existe encore ? ai-je demandé.

Je n'avais pas été à une rave depuis mes onze ans et, d'après mes souvenirs, rester debout jusqu'à six heures du matin en prenant de l'acide n'avait rien de jouissif. Il valait mieux me faire La Bamba.

J'ai dit au gamin que, n'ayant plus besoin de ses éminents services, il pouvait filer.

Lupe a décidé d'aller aux toilettes. Pour être sûre qu'il reviendrait, je lui ai proposé un autre verre. Il m'a demandé un whisky. Je n'ai jamais cru à ces bobards de voyance, mais après avoir entendu ce type commander la boisson que j'estime la plus virile, j'ai presque envisagé de me faire tirer les cartes.

— Qui était ce connard, espèce d'enfoirée ? a lancé Shoniqua, furieuse. T'es vraiment culottée !

— Désolée, mais je suis pétée.

— Dire que je me suis cassé le bol pour draguer ton type et toi tu fais n'importe quoi. Je sais pas pourquoi, mais il a l'air d'aimer ton petit cul maigrichon, alors déconne pas.

Je me suis mordu la langue. Sans le faire exprès.

— Oh, merde, je viens de...

— Ta gueule. Il revient. Saluuuuuut. Lupe, t'es prêt à partir, j'ai une fête de musiciens où on peut aller ensemble, a-t-elle proposé avec la voix enthousiaste d'un prof d'aérobic qui vient de siffler un Gatorade entier.

Un ami de Shoniqua venait de sortir un album hip-hop et donnait une fête. D'ordinaire, j'aurais été ravie d'y aller, mais pas question de laisser Lupe me voir danser à côté de Blacks.

— On devrait s'arrêter d'abord à l'hôtel pour se changer, ai-je suggéré, en regardant Shoniqua dans les yeux pour qu'elle comprenne le message.

— Ouais, ouais.

On a demandé l'addition et Lupe a proposé de participer. Vu ce que je mijotais, j'ai refusé.

— Tu peux m'inviter aussi, ma salope, a dit Shoniqua.

Même Stevie Wonder aurait vu le coup venir! me suis-je dit.

En nous levant, Shoniqua m'a murmuré :

— C'est du tout cuit, tu vas te le faire et je vais à la fête sans vous.

— Bravo. Pour que ça ne fasse pas trop coup monté, fais semblant de nous accompagner.

J'avais toujours cru que les étrangers avaient la comprenette engluée, en fait, c'était moi qui étais un peu lente au démarrage.

Nous avons tous pris un taxi, Lupe entre nous.

Je lui ai dit :

— Tu vas adorer l'Amérique.

— Celle-là, tu me la copieras, a fait Shoniqua.

Oh, la ferme!

— Deux belles femmes, j'ai beaucoup de chance.

— Oh, putain! a dit Shoniqua, tu vas voir comme on s'amuse.

Dans le hall de l'hôtel, on a fait nos adieux à Shoniqua et j'ai proposé à Lupe de monter dans ma chambre. Dans l'ascenseur, il m'a demandé :

— On va pas tout de suite à la fête, hein?

— On n'y va pas du tout!

Il m'a lancé un grand sourire et j'ai été ravie qu'il approuve ma décision.

— J'espérais avoir un peu de temps seul avec toi, pour bavarder, a-t-il dit en roulant ses grands yeux charmeurs. Tu n'as presque rien dit pendant le dîner. Tu as un si beau sourire...

Il a hésité, comme s'il cherchait ses mots. J'allais pas y passer la nuit, aussi j'ai fait le premier pas.

Nous nous sommes pelotés dans la cabine et c'était superexcitant, comme dans les films. L'ascenseur aussi était super. Je n'avais jamais baisé entre deux étages et c'était l'occasion rêvée.

— Tu as une capote? ai-je demandé entre deux patins.

— Un qui?

— Une capote... une protection.

— Oh! non, non, je ne possède pas de capote.

Ça m'a fait marrer.

— Pas grave, on va sortir en acheter.

Il a cessé de m'embrasser et m'a pris le visage entre ses mains.

— Je préfère passer la soirée à parler et à s'amuser. Pas besoin de capote.

Il a marqué une pause avant de continuer.

— Je ne suis pas à l'aise à l'idée de passer notre première nuit... ensemble.

— Écoute, Lupe, c'est notre *dernière* nuit! Ne te fais pas d'idées. On gèle, je suis fatiguée, alors sors ta pinata et amusons-nous.

Je n'ai pas compris ce qui m'arrivait. C'était la première fois. On m'avait déjà envoyée sur les roses, mais c'était à trois heures du matin, lorsqu'une ex l'avait appelé.

— Tu es fâchée, oui?

Fâchée? J'étais folle de rage! Comment un touriste en visite aux États-Unis ne sautait-il pas sur l'occasion de se faire malmener par une Américaine?

Je savais que je n'avais pas la force de le violer, mais, si je le faisais boire, il serait à ma portée. Je n'adorais pas faire ça à la paresseuse, mais l'urgence commandait des solutions de secours : j'allais le monter comme un poney.

— Je ne suis pas fâchée, pas du tout. Tu es très gentil. Allons boire dans ma chambre.

J'ai pris un gobelet dans la salle de bains et je lui ai versé une fiole de whisky du mini-bar en ajoutant de l'eau du robinet.

— En piste!

On s'est remis à s'embrasser, d'abord debout, puis sur le lit. Au bout de trente secondes, j'ai cherché sa zézette, mais il a repoussé ma main.

— Doucement, doucement!

Ce mec m'a mise en pétard. Qu'avait-il derrière la tête? J'aime bien prendre mon temps pour *baiser*, mais pas avant. D'accord pour batifoler pendant des heures, si ça lui plaisait, mais après l'avoir déshabillé.

— T'as vraiment pas envie de coucher avec moi?

Il m'a serrée contre lui, un peu trop façon prise de catch à mon goût.

Ce mec allait m'inciter à boire... encore plus. Abandonnant la partie, j'ai saisi la télécommande et je suis tombée sur le « Monde des animaux ».

— Tu veux aller à cette fête? j'ai demandé.

— Non, je suis content ici, a-t-il répondu en se nichant contre mon épaule.

Ce mec était cinglé. Qui pouvait se conduire ainsi? À quoi bon voyager si c'était pour rester dans une chambre d'hôtel à regarder la télé? Il avait dû grandir dans un trou perdu, loin de toute civilisation et, pour lui, c'était l'idée même du bon temps. Comment arriver à le faire déguerpir? J'ai essayé de péter, mais rien n'est sorti. Alors j'ai ronflé.

Je me suis endormie après avoir pris conscience que je partageais mon lit avec un nul. Ce n'était pas ce que j'avais prévu. Au lieu de m'envoyer en l'air avec un Sud-Américain torride, je passais la nuit entière avec ce Lupe accroché à moi comme un koala à une branche. Je déteste qu'on se pelotonne contre moi quand je dors. J'ai besoin d'espace. Je me suis réveillée toutes les heures pour le repousser à l'autre bout du lit, mais il dormait comme une souche. J'ai commencé à avoir mal à l'épaule à force d'être couchée sur le côté, pourtant je n'avais pas le choix. Quand je me tournais, je recevais son haleine chaude en plein visage. Au bord des larmes, j'étais prête à appeler le détective de l'hôtel, mais je ne voulais quand même pas l'envoyer en tôle.

Vers 7 heures, j'ai pris le téléphone de l'hôtel et, depuis la salle de bains, je me suis appelée sur mon portable que j'avais placé près de la tête de Lupe, avec la sonnerie au max. J'ai bondi en entendant mon portable, l'air paniqué, et il a ouvert vaguement les yeux.

— Allô ? Vraiment, c'est obligé ? Ah bon, j'arrive... d'accord.

J'ai raccroché en disant :

— Merde !

Lupe a tressauté.

— Qu'est-ce qu'il y a ?

— J'ai une réunion dans dix minutes et elle a lieu ici. Il va falloir que tu partes. Je suis vraiment, vraiment désolée.

— Pas grave. Quel genre de réunion ?

Je ne m'étais pas préparée à ce qu'il parle bien l'anglais dès l'aurore et sa question m'a prise au dépourvu.

— Avec le directeur de cet hôtel. Shoniqua et moi envisageons de l'acheter.

— Oh, je ne savais pas que tu étais dans l'immobilier. Shoniqua m'a dit que tu étais ballerine.

Première nouvelle !

— C'est... vrai, mais je m'occupe aussi d'acheter des immeubles... surtout des hôtels, puis de les rénover avant de les revendre.

J'étais aussi crédible que Pamela Anderson en secouriste.

— Ah bon... et t'auras fini quand ?

— Ça sera long. Donne-moi ton numéro de portable et je t'appelle ce soir.

— Je pensais qu'on aurait pu aller au zoo, aujourd'hui.

Ce qui ne m'a pas surprise, vu son goût pour les petites bêtes enfermées.

— Sans doute pas, mais je te téléphone plus tard.

Il n'avait pas de portable, et quand il m'a demandé mon numéro, je lui ai donné celui de Shoniqua.

Il s'est habillé puis il est venu m'embrasser pour me dire au revoir. Ça a duré des heures. Il n'a pas cessé de me regarder dans les yeux.

— J'ai passé une nuit merveilleuse.

— Oui, on s'est éclatés.

Dès qu'il a disparu, j'ai fermé à clé, dormi trois heures, enfilé un peignoir et foncé dans la chambre de Shoniqua.

— Quoi de neuf?

— Quoi de neuf? Pas le zizi de Lupe en tout cas!

— Raconte!

Je me suis recouchée avec elle et je lui ai décrit mon calvaire.

— Bien fait, ma salope. C'est ce qui arrive quand tu fais chier une sœur et qu'elle t'en veut.

— De quoi?

— Réfléchis! a-t-elle fait en souriant de toutes ses dents. Tu crois qu'il n'y a que les garces de ton espèce qui savent faire des tours de cochon? J'ai dit à Lupe que tu n'avais que trois mois à vivre et que c'était ta dernière fantaisie. J'ai ajouté que tu avais été maltraitée par les hommes et que ton rêve était d'être aimée pour toi, pas pour tes fesses. Ah! et j'ai précisé que tu avais de l'herpès.

Sur ce elle a éclaté d'un rire de démente.

— Merde, c'est vraiment pas drôle, j'ai répété en m'efforçant de garder mon sérieux.

Quand je n'ai plus pu me retenir, je suis allée dans la salle de bains pour hurler de rire à mon aise. Je ne voulais pas lui donner la satisfaction de me voir rigoler de ma propre et pitoyable connerie.

— Va te faire foutre ! ai-je crié en sortant de sa chambre. Au fait, aujourd'hui il veut aller au zoo.

Et j'ai claqué la porte.

Lupe a téléphoné plusieurs fois à ma copine pour prendre de mes nouvelles.

— Franchement, a répondu Shoniqua lors de son dernier appel, elle ne va pas terrible. Pas terrible du tout.

Une histoire de mariage

J'étais en ligne avec le cabinet de mon docteur pour obtenir du Topalgic.

— Pour quel usage ? a demandé la secrétaire qui m'a répondu.

— J'ai très mal, ai-je menti. Un petit coup de malchance pendant le week-end.

— Je suis désolée, mais soyez plus précise, miss Chandler.

— Bien, si vous voulez tout savoir, je faisais du vol libre et mon parachute ne s'est pas ouvert.

— Mon Dieu ! Ça va quand même ?

— Oui, mais je souffre beaucoup.

— Où... comment avez-vous atterri ?

— Dans un arbre.

— Vous avez été à l'hôpital ? Rien de cassé ou de fêlé ?

— Non, surtout des blessures internes. On ne voit rien à l'œil nu. Comme je souffre de choc post-traumatique, j'aurais aussi besoin de somnifères.

Au même moment j'ai reçu un autre appel et j'ai demandé à la dénommée Stefanie d'attendre.

C'était ma sœur Sloane qui m'annonçait son mariage dans deux mois.

— Tu peux amener un invité, si tu veux.

— Minute, ai-je fait en reprenant la secrétaire.

Mais elle avait raccroché. Je suis revenue à ma sœur.

— Sloane ? Qui veux-tu que j'invite ?

— Je ne sais pas. Une de tes copines ou un nouveau mec.

L'idée de venir au mariage de ma sœur avec un nouvel amour était aussi excitant que de m'engager dans les fusiliers marins. Chaque fois que j'ai présenté un copain ou un jules aux membres de ma famille, ils ont été obligés de me dire que je choisissais très mal mes amis et qu'ils préféraient me voir seule. À leurs yeux, mes potes de Californie étaient superficiels et plutôt cons.

Ma sœur mormone avait pour fiancé un homme normal qui l'aidait à se dégager de l'influence de l'Église des Saints des Derniers Jours. Le mariage devait avoir lieu dans notre villa de Martha's Vineyard. Certes, j'étais sortie déjà deux fois avec un type qui me plaisait bien, mais je ne voulais pas lui infliger la traversée de l'Amérique pour assister à la noce.

En revanche, Nathan, mon ami gay, m'avait souvent amenée dans sa famille et en vacances. Et si je lui rendais la monnaie de sa pièce ? Mon père n'avait jamais vu un homo de près et je pensais qu'il était temps de remédier à ce manque. Erreur fatale !

Il faut savoir que Nathan n'est pas typique. Il n'a rien d'une folle, mais si vous avez un détecteur à pédés – ce que je n'ai pas –, en deux soirées passées avec lui, vous avez pigé.

Il m'a fallu un moment pour comprendre son état : j'attribuais sa féminité et sa différence au fait qu'il était juif. Il était grand, beau, dingue de sport et parfaitement viril dans bien des cas. Sauf quand il s'engueulait avec quelqu'un. Dans ce cas, il se comportait comme une gamine de huit ans.

Nous étions amis depuis des années. Depuis que j'avais dix-neuf ans et que j'étais serveuse chez Morton, un restaurant de Los Angeles – c'était mon premier boulot. Le premier jour, il a fait mon éducation et, quand j'ai renversé un verre de vin sur une cliente qui arborait plus d'eye-liner que Liza Minelli, il m'a assuré que j'avais un brillant avenir.

L'amener dans le giron familial n'a pas été génial. À peine l'avais-je présenté à ma mère qu'il s'est assis à la table de la cuisine en lui disant que le voyage l'avait affamé.

— Que puis-je vous préparer, mon chou ? De la viande froide, de la salade de pommes de terre, je peux réchauffer du chili...

— Je prendrai quatre œufs au plat, cuits sans beurre ni huile. Ainsi qu'un sandwich à la dinde sur du pain aux céréales avec de la moutarde si possible de Dijon.

C'était quoi ce cirque ? Sans bien savoir pourquoi, j'ai décidé de prendre la défense de ma mère :

— C'est tout ? Ou veux-tu aussi une côte de bœuf en ragoût ?

— Je suis navré. Mais j'ai tellement faim que je ne sais plus ce que je dis.

— Sois pas bête, Chelsea, m'a reproché ma mère, je vais m'en occuper avec plaisir.

139

Je savais qu'elle mentait.

Mon frère Greg a alors débarqué, en caleçon et tee-shirt. Il bâillait et se grattait le dos. Puis mon père – en jogging et les pieds chaussés d'énormes tennis – est arrivé du jardin par les portes coulissantes en compagnie de notre chien Pied-Blanc. À cet instant, Nathan s'est mis à couiner comme un goret.

— Mon Dieu, quelle beauté !

Il s'est élancé vers la pauvre bête, est tombé à genoux et l'a caressée furieusement.

— Ouh, on aime ça, hein ! Ouh, le chien-chien ! On aime ! Oui, oui, oui ! Oh, je suis fou de toi, déjà ! Et toi ? Tu m'aimes ? Mais oui, tu m'aimes !

Pied-Blanc agitait sa queue fébrilement et léchait Nathan comme un maniaque. Je n'ai pas tellement apprécié que mon ami ouvre la bouche en grand. Ni que notre chien bande de toutes les forces de sa petite bistouquette.

— Quelle merveille ! gazouillait Nathan, telle une maman à son bébé.

Pied-Blanc n'est qu'un clebs ordinaire, capable de s'asseoir quand on le lui ordonne, gentil mais rien de plus. C'était la première fois que je voyais Nathan faire un tel numéro de folle.

Un spectacle que mon père a salué d'une moue de dégoût avant de se racler la gorge avec énergie. On partait du mauvais pied. Mon frère Greg, lui, avait un sourire fendu jusqu'aux oreilles. Il adorait observer les réactions paternelles quand les choses déraillaient. Pendant encore dix secondes, Nathan a joué avec l'idée de se faire violer par Pied-Blanc, puis il s'est approché de pap's, les bras grand ouverts. Mon père s'est reculé et lui a tendu la main.

Greg, qui avait fait la connaissance de Nathan à Los Angeles, lui a donné une accolade.

— Je sens que ça va être fantastique, m'a-t-il glissé.

Après avoir avalé le festin préparé par ma mère, Nathan a demandé où était sa chambre et a vite enfilé son survêt. C'était le début de l'après-midi et tout le monde était à la plage. Du coup la villa, qui débordait normalement de mes cinq frères et sœurs plus leurs chéris et leur demi-douzaine de gosses, était désertée et particulièrement tranquille.

Après avoir indiqué à Nathan l'endroit où il pouvait courir, je suis restée à la maison dans l'espoir d'arrondir les angles.

Dès que Nathan a disparu, mon père a levé la tête de son journal. Il me dévisageait par-dessus ses lunettes tout en s'adressant à mam's :

— Dis donc, on dirait que Chelsea a ramené un drôle de numéro.

Il fallait que je change rapidement la conversation, sinon l'humeur de mon père, déjà maussade, allait tourner au vinaigre. Je lui ai demandé si le jardinier avait préparé la pelouse pour la réception de mariage.

— Ouais, c'est fait. Je lui ai dit de se payer en prenant un des tilleuls.

— Comment ? s'est étonnée ma mère.

— Les tilleuls. On en a deux. Ils poussent surtout en Allemagne. Ils sont très rares.

— Melvin, comment va-t-il se débrouiller pour le prendre ?

— Tout simple, a répondu pap's. Il n'a qu'à le couper et le mettre sur un camion. C'est pas sorcier.

Greg a pris une mine réjouie. Il adorait observer les tractations financières de mon père. Il est persuadé que pap's est complètement à la masse et qu'il vit sur une autre planète.

— Tu crois que le jardinier a envie de l'un de nos arbres ? l'a-t-il interrogé innocemment.

— Ces arbres sont rares. Ils valent au moins quinze cents dollars pièce. J'aimerais bien savoir qui n'en voudrait pas.

— D'accord, mais notre jardinier fait-il commerce d'arbres ? Ce n'est pas une denrée qu'on apporte simplement au marché pour s'en débarrasser.

— Pas si sûr, a répliqué pap's avant de se replonger dans son journal.

— Alors, quand va-t-il le couper ? s'est inquiétée mam's.

— J'en sais rien. Il faut qu'il trouve des gens pour l'aider et qu'il loue un camion.

— J'espère qu'il s'en occupera après le mariage.

— Avec un peu de chance, est intervenu Greg, il fera ça au milieu de la noce.

— Mais non, ce n'est pas son genre, a répliqué pap's comme s'il prenait les propos de Greg au sérieux.

— Je me demande si les enchères vont se déchaîner sur ebay ? a poursuivi Greg.

— S'il a envie de le vendre sur ebay, je m'en fous. En tout cas, ce mec fait l'affaire du siècle.

Je suis montée dans ma chambre pour me changer. En redescendant, j'ai trouvé ma sœur et son fiancé. Ils avaient rendu visite à des amis en ville.

— Regardez-moi cette ligne ! s'est exclamé pap's en me voyant en costume de bain. De quoi exciter les foules !

Puis il a salué ma sœur et a continué sur sa lancée.

— Regardez-moi cette silhouette de rêve. De quoi briser bien des cœurs.

Comme d'habitude, Sloane a joué les rabat-joie.

— Tu parles de tes filles. Tu n'es pas censé faire des remarques sur leur physique.

Quelle emmerdeuse ! Moi, j'aime les compliments, d'où qu'ils viennent. De plus, mon père alternait les compliments énormes et les remarques désagréables genre : « Certaines filles ne se marient pas avant la quarantaine ! »

— Pap's a un faible pour toi et je trouve ça dégoûtant, a repris Sloane.

— Je n'ai pas de fille préférée, s'est écrié pap's. Elles sont plus belles les unes que les autres.

— Vraiment ? Et je figure où sur la liste ? a grogné ma sœur.

— En tête ! ai-je dit.

Pap's s'est tourné vers moi.

— Tu ne manques pas de culot, ma chérie. Les hommes n'aiment pas tous ça. Tu es du genre à te débrouiller toute seule. Faire fortune, avoir des gosses... construire une maison.

— Des enfants avec qui ? a répliqué Sloane.

— N'importe ! Les femmes font comme ça aujourd'hui. C'est une maligne, ta sœur. Elle a la tête sur les épaules et cela fait peur aux hommes. Du coup, elle sort avec des barjos du genre de Nathan.

— Sloane, t'es au courant de la dernière ? a demandé Greg.

— Oui, suis-je intervenue sans faire attention à mon père. Inutile de payer le traiteur, tu n'auras qu'à lui donner un de nos arbres. Ils sont exceptionnels.

Nathan a poussé la porte de toutes ses forces et s'est avancé, dégoulinant de sueur.

— C'est ravissant ici, Melvin, a-t-il dit à pap's.

Puis il a repéré Sloane.

— C'est toi, Sloane-la-balourde, non ? Youppie !

Et il s'est précipité pour l'embrasser.

Mon futur beau-frère a glissé vers la porte dès qu'il a compris qu'il risquait de subir ses assauts. Mon père, derrière son journal, observait Nathan à la façon d'un détective en planque.

— Sylvia, a demandé Nathan à mam's, j'aimerais bien un smoothie au yaourt.

— Arrête, ducon, ai-je murmuré, on n'est pas au resto.

— Chelsea, je t'ai entendue, a répondu mam's. Je serais ravie d'en préparer un.

— Dans ce cas, a dit pap's entre ses dents, fais-en donc un pour Pied-Blanc.

Après avoir pris une douche de quarante minutes, avoir jeté son survêt sur le couvercle de la machine à laver et demandé à ma mère de laver séparément le haut et le bas, Nathan a pris notre téléphone et s'est enfermé dans le dortoir des enfants.

Je me suis éclipsée sur la terrasse pour couper court à toute discussion avec pap's. Quand je suis revenue au salon une demi-heure plus tard, Nathan s'engueulait au téléphone avec son amant-bookmaker. Pap's écoutait leur conversation sur le babyphone qu'il tenait à quelques centimètres de son oreille. Il s'est levé, m'a prise par le coude pour m'entraîner dans la cuisine.

— Tu sais ce que c'est qu'un *schnorrer* ?

— Et alors ?

— En yiddish, ça veut dire un tapeur. Ton drôle d'oiseau est un vrai pique-assiette et je n'aime pas ça. Quand va-t-il raccrocher ? On a un mariage à organiser pour ta mormone de sœur et les portables ne captent pas. C'est quoi ce *mishiga* ! (Un autre mot yiddish pour dire bordel.) Tu savais que ce mec avait un *bookie* ? Où a-t-il été élevé ? Chez les sauvages ?

— Lâche-moi le coude !

— Je n'aime pas du tout ça. Allons, dis-moi la vérité : il délire ?

Une manière ultrasérieuse de me demander si Nathan se droguait.

Il faut avouer que Nathan se shootait un max, mais je ne crois pas qu'il ait pris l'avion pour venir au mariage de ma sœur avec une dose planquée dans le cul. Et, à ma connaissance, il n'avait rien avalé d'autre que de l'alcool. Le *modus vivandi* de Nathan est de se défoncer pendant des semaines puis d'être net quelques mois. Quand il plane, il ne dort pas de la nuit tant il est raide et il téléphone à ses amis à sept heures du matin pour leur demander pourquoi, au Monopoly, l'avenue Baltic est moins chère que Ventnor, qui est pourtant dans un meilleur quartier. Ses conversations sont interrompues par de longs silences – je ne compte pas les périodes où il grince des dents ni les moments où les lamelles de son store s'entrechoquent, car il guette les flics par la fenêtre. J'ai toujours envie de raccrocher, mais j'ai peur qu'il avale sa langue.

— Pap's ! je proteste. Nathan ne se drogue pas. Arrête d'être comme ça. Sois gentil avec lui.

Lorsque papa n'aime pas quelqu'un, il ne s'en cache pas. Son regard est éloquent. Aussi subtil qu'un pistolet à amorce, mon père. Et s'il fut un temps où ça m'amusait de le voir s'énerver, j'ai dépassé cet âge d'or où je prenais mon pied rien qu'à le décevoir. À vingt-quatre ans, je me suis rendu compte que j'essayais de retrouver l'ivresse de mes seize ans, quand je lui annonçais que j'étais enceinte et que je voulais garder le bébé.

— Ne le laisse pas s'approcher de ta mère ou de Pied-Blanc, m'a ordonné pap's.

Greg est entré sur ces entrefaites.

— Oui, Chelsea, c'est une bonne idée. Sauf si Pied-Blanc a acheté des capotes.

Pap's déteste le sens de l'humour de Greg encore plus que le mien. Il nous a toisés tous les deux et s'est dirigé vers les buissons.

— Oh, regarde, papa va se soulager ! C'est charmant, a commenté Greg tandis que nous regardions papa se déboutonner.

Quand Nathan en a eu terminé avec le téléphone, je lui ai proposé d'aller à la plage. Mais il a préféré rester sur la terrasse à admirer la vue.

Certains membres de la famille ont commencé à rentrer et j'ai espéré qu'on s'occuperait moins de Nathan. Par bonheur, Sloane est tombée sous son charme. Il la couvrait de compliments et Sloane buvait du petit-lait.

Non seulement il lui a dit qu'elle avait des « yeux bleus et perçants », mais il s'est exclamé sur la longueur idéale de ses orteils. Ce qui a incité Sloane à lui poser mille questions sur son appartenance au Mouvement pour l'égalité des droits des homosexuels et des lesbiennes.

J'aurais tant voulu que mon père, comme la plupart des femmes, trouve Nathan sympathique, mais ni lui ni aucun de mes frères ne pouvaient le blairer. J'étais gênée de l'avoir amené et d'avoir déçu ma famille. C'est vrai qu'il se conduisait d'une manière affreuse. Il en faisait des tonnes, parlait sans arrêt sans laisser la parole à quiconque. J'ai cherché à l'entraîner dehors, loin de pap's, mais plus il sentait qu'il était à côté de la plaque et plus il en remettait. Quand il ne félicitait pas mon père d'avoir des spermatozoïdes assez puissants pour engendrer six beaux enfants, il passait commande de nourriture à ma mère comme si elle tenait une auberge ouverte nuit et jour. En moins de vingt-quatre heures, il avait déjà avalé l'équivalent de six repas qui, à sa demande, avaient dû être préparés sans une once de matière grasse.

— Et si nous allions en ville boire un verre ? ai-je proposé, en entraînant Nathan pour la dixième fois vers la porte.

— Pourquoi quitter cet endroit de rêve ? a-t-il répliqué en se libérant. On a tout ce qu'il faut ici.

— Parce que tu te conduis comme un trouduc et que ma mère n'est pas ta cuisinière particulière.

— De quoi parles-tu ?

— Mets-y un bémol, veux-tu ?

— Comment peux-tu dire une chose pareille ? Sloane m'adore et Blanchette aussi.

— Il s'appelle Pied-Blanc et mes parents se contre-fichent de qui il aime.

— Arrête ton cirque !

Vers huit heures du soir, je n'ai vu qu'une solution : deux Topalgic dans son margarita. Une heure plus tard, il était couché.

Le lendemain, jour du mariage de ma sœur, Greg m'a réveillée pour me dire que Nathan avait téléphoné à son *bookie* pendant une heure.

— Maintenant, il est en train de faire une virée en kayak. Et papa le surveille avec ses jumelles. Il est proche de l'explosion.

J'ai foncé à la cuisine où ma mère préparait des crêpes aux myrtilles.

— Chérie, je te conseille à l'avenir d'éloigner Nathan du champ visuel de ton père qui est sur le point d'avoir une attaque. J'ai une liste d'achats de dernière minute que ton copain pourrait faire en ville.

— D'accord, mais il n'est pas toujours comme ça.

Mon père est entré.

— Je ne vais pas pouvoir tenir ma langue encore longtemps.

— Pap's, je t'en prie. Ne lui dis rien. Sa vie n'a pas été facile et son père le battait.

— Il devait avoir ses raisons.

Il a avalé une myrtille.

— Chelsea, tu as dégotté l'as des as, un vrai champion. Il nous reste l'espoir qu'il canote jusqu'à sa Californie natale. Ou, si nous avons de la chance, qu'un épais brouillard l'empêche de retrouver son chemin jusqu'ici. En tout cas, je le veux hors de mon champ visuel.

148

À l'évidence mes parents avaient discuté du champ visuel paternel.

— Parmi tous tes amis zinzins de Los Angeles, au nom de quoi tu as choisi cette tantouze ? Tu as un message à nous faire passer ? a demandé pap's en me martelant les côtes. Notre petite Chelsea est-elle devenue lesbienne ?

— Non, pap's, sûrement pas. Je couche tout le temps avec des mecs.

Sur ce, je me suis éloignée.

Une heure plus tard, je raidissais au fer les cheveux de ma nièce de deux ans, quand Nathan est entré dans la chambre, transpirant à grosses gouttes et puant la tequila.

— Sloane et moi avons réécrit son texte de consentement mutuel.

— De quoi parles-tu ?

— Il manquait de brio. Je l'ai aidée à l'épicer un peu.

— T'es déjà cuit ? Tu empestes la tequila.

— T'inquiète ! Je n'en ai bu qu'une goutte. Ton père m'a demandé de disposer les chaises pour la cérémonie. Je crois que j'ai le ticket avec lui.

L'heure était venue, pour les demoiselles d'honneur, d'aider Sloane à se préparer. Dès qu'elle a été prête, ma sœur a voulu rester seule avec Nathan en attendant d'être conduite à l'autel. J'étais ravie que quelqu'un de la famille aime Nathan. En même temps je ne voyais pas très bien quelle complicité pouvait les lier. Ni pourquoi ma sœur m'avait exclue de ce moment unique, cet instant qui précède le « oui ».

149

J'ai fait le tour de la propriété pour une dernière revue de détails tout en vérifiant que mes seins ne débordaient pas de la robe que mam's avait confectionnée. Elle avait utilisé le même tissu pour toutes les demoiselles d'honneur, mais j'étais la seule à avoir l'air d'une pute.

Étant mormone, Sloane ne s'était jamais droguée ni soûlée. À la voir tituber vers l'autel, il était clair qu'elle était ivre. Son nouveau texte comprenait des vers de trois différentes chansons des Grateful Dead. Et quand elle a déclaré : « Tu es si intelligent, tu pourrais être un livre de classe », ma sœur Sydney m'a murmuré à l'oreille :

— Elle déconne ou quoi ?

La cérémonie terminée, nous sommes allés sur la terrasse qui fait face à la mer pour le serre-pince. Sloane a levé une coupe de champagne dont elle a renversé le contenu. Pap's s'est interposé, a saisi la coupe qu'il a vidée dans l'écuelle de Pied-Blanc. Puis il m'a demandé de remplacer le champagne de ma sœur par du cidre bouché.

Lorsque la fête a battu son plein, je me suis assise à ma place à côté de Nathan.

Il m'a fait un clin d'œil en pointant un doigt entre ses jambes. Il avait piqué une bouteille de Cuervo et l'avait planquée sous la nappe pour qu'elle soit facilement à sa portée. Cette manœuvre lui éviterait à la fois d'avoir à parcourir les cinq mètres qui le séparaient du bar et de quitter mon cousin hétéro, assis près de lui. Neil, un New-Yorkais, s'est vite excusé. Prenant avec lui le bristol qui portait son nom, il a immigré à une table moins dangereuse.

Après avoir terminé sa troisième assiette de homard, Nathan transpirait comme un bœuf :

— Tu dégoulines, mon pote ! Tu te shoots à quoi ? ai-je demandé.

— À rien du tout, espèce de crétine ! Je m'amuse, c'est tout.

Je l'ai laissé se distraire avec sa bouteille et suis allée m'occuper des invités. Pap's s'est approché de moi pour me demander si Nathan se croyait au marché aux poissons.

— Écoute, pap's, laisse tomber. Amuse-toi donc. Regarde, Sloane veut danser avec toi.

Ils n'étaient pas sur la piste depuis trente secondes que Nathan s'est interposé. J'ai réussi à l'écarter des pattes de mon père.

— Arrête de déconner ! ai-je dit entre mes dents tout en souriant pour le cas où l'on m'observerait. Va faire une promenade. Une longue promenade.

— J'aimerais porter un toast, a soudain déclaré Nathan.

Il a fait tinter son verre de tequila avec une lame de couteau. Horrifiée, j'ai préféré fermer les yeux.

— Je parle en mon nom et en celui de Chelsea, a-t-il annoncé en mangeant ses mots.

Greg s'est écrié :

— Silence !

La musique et les conversations ont cessé.

— Je veux seulement dire que jamais personne ne m'a aussi bien accueilli que M. et Mme Handler. Cette maison est une oasis de paix comparée à la vie débordante que je mène à Hollywood, où je suis producteur de musique. La forme physique m'intéresse aussi. En tout cas, rien n'est plus beau qu'une mormone et qu'un chrétien non pratiquant réunis dans une soirée juive. Enfin, à la guerre comme à la guerre !

Puis il a récupéré sa bouteille sous la table et a quitté la fête.

Une heure plus tard, m'inquiétant pour la vertu de Pied-Blanc, je me suis mise à la recherche de Nathan dans toute la propriété – sans succès. Mais j'ai trouvé Pied-Blanc. Il était attaché à un arbre de l'autre côté de la maison et dégustait un homard que mon père avait dû lui apporter. À côté du homard, il y avait un ramequin rempli de beurre fondu.

Vers huit heures du soir, alors que la réception touchait à sa fin, je suis descendue dans les toilettes du sous-sol. Là, j'ai trouvé Nathan qui fumait un joint avec mon cousin Kevin, âgé de treize ans. Nathan n'a pas compris les raisons de mon explosion de colère.

Comment un invité peut-il se comporter aussi mal dans une maison familiale ? Quand j'avais rendu visite aux parents de Nathan, ma conduite avait été parfaite : je n'avais pas juré devant eux et je n'avais pas descendu une bouteille entière de tequila pure. J'ai été en pétard pendant cinq minutes contre Nathan pour finalement lui balancer qu'il était interdit de fiesta pour toute la soirée.

— Et mon homard, alors ? s'est-il inquiété.

J'ai attrapé mon cousin par la main, pris une bouffée de hasch et je suis remontée.

Arrivée à notre table, j'ai saisi l'assiette de Nathan et en redescendant, je lui ai jeté son homard à la figure. Il a réagi avec des cris de chatte violée.

Il s'est réveillé le lendemain matin sur la pelouse, arrosé au jet par mon père.

— Vous allez rater votre avion.

J'étais tellement furieuse contre Nathan que j'ai demandé à Greg de le conduire à l'aéroport très à l'avance. Ça lui ferait les pieds de poireauter pendant quatre heures !

Quand Greg est rentré, il a annoncé le sourire aux lèvres :

— N'ayez crainte, Robert Downey Junior s'est embarqué sans problème. Il faudra quand même écouter la radio pour savoir si son avion a bien atterri ou s'il l'a détourné.

— Ta gueule, ai-je dit. Il n'est pas comme ça en temps normal.

— Une chose est sûre : il est désormais interdit à Chelsea d'amener quelqu'un qui ne soit pas son fiancé à nos réunions familiales. D'accord ?

Mon frère savait que j'avais autant de chances de me fiancer que de sortir un disque de hip-hop.

Ma mère a cessé de jouer avec ma petite nièce pour dire :

— Je crois que Greg a raison, chérie. C'est plus amusant lorsque vous venez seuls ici.

Ma mère a le chic de vous faire croire que son bonheur dépend de votre présence auprès d'elle. De toute façon, j'avais appris ma leçon : je n'amènerais plus jamais personne ici. Ma famille et mon père étaient trop odieux pour supporter un autre séjour en tandem.

— Tu devrais mieux choisir tes amis, a insisté pap's. Tu as un faible pour les dingues. Tu es superbe et je ne veux pas que tu te gâches.

Une femme à la mer

Crétina m'a demandé si je voulais faire une croisière pour le jour de l'an. Je n'avais jamais été en mer et j'ai hésité, car Crétina est aussi drôle qu'une porte de prison. Pour elle, s'éclater, c'est aller dans une pizzeria et commander deux hors-d'œuvre. Mais dans l'espoir, toujours déçu, de la voir perdre sa virginité, j'ai accepté.

— Nous irons toutes les deux.

— Mon cul ! Je veux inviter Ivory et Lydia.

— D'accord, mais elles ne voudront pas venir avec moi.

Elle avait raison. Toutes les deux m'ont dit qu'elles préféraient assister à un concert de Michael Bolton et que j'étais une conne d'avoir accepté. Leur refus m'a amenée à réfléchir. J'ai donc essayé de m'en sortir en prétextant que j'avais la superbe possibilité de nourrir les sans-abri ce soir-là. Une heure plus tard, Crétina était en larmes dans sa chambre. Je déteste voir les gens en larmes, surtout par ma faute. Du coup, non seulement j'ai accepté de revenir sur ma décision, mais je lui ai offert son billet. Qui est la plus crétine des deux, je vous le demande ?

Une femme à la mer

Crétina était excitée comme une puce à l'idée de faire cette croisière. Durant les trois semaines précédant le départ, elle ne parlait que de ça. Elle n'arrêtait pas de parler du bon temps qu'on allait avoir et des super mecs qu'on rencontrerait. Je lui ai fait promettre qu'elle se laisserait caresser les seins, sinon je dirais à tout le bateau qu'elle était pucelle.

— T'as pas intérêt ! Je te tuerai ! Tu crois que je vais rencontrer quelqu'un ? Vraiment ? Et si je trouvais un mari ? Ça serait tellement romantique !

Dans notre appartement, elle exhibait ses différents sarongs ou hauts de bikini.

— Qu'en penses-tu ? Tu préfère mon sarong avec des pois ou celui qui a des soleils ?

Elle me pompait l'air. Cette croisière me fichait les boules. Pire que lorsque j'ai été obligée de repasser mon permis après avoir été piquée en état d'ivresse au volant. Et au même moment, Lydia et Ivory projetaient d'aller skier à Aspen avec Hugh Grant !

Pour sa dernière exhibition, Crétina a enfilé un haut de bikini avec un short de sport, deux tailles trop petit. Si elle se baladait avec, elle décrocherait le surnom de « Moule-cul ».

— Écoute, Moule-cul, je veux dire Crétina, tu vas sûrement rencontrer quelqu'un pendant la croisière. Il serait bon que tu prépares des sujets de conversation.

— Je sais comment parler aux gens.

Un pieux mensonge. Crétina n'était comprise que par les enfants et les personnes demeurées. Et tant pis pour ceux qui n'avaient pas vu tous les épisodes de « Bachelor » ou de « Wedding Story » ! Crétina n'avait pas d'autres sujets de conversation. Elle regardait les reality shows non seulement en première diffusion mais à chaque rediffusion. Quand, pour des raisons techniques, elle ne pouvait enregistrer un épisode, elle appelait son père dans le New Jersey pour qu'il le fasse à sa place. J'avais vu « Bachelor » une fois et décidé de l'adapter à ma façon : j'aurais couché avec tous les candidats et les aurais éliminés selon la taille de leur zizi. À la fin, lors de la cérémonie de la rose, j'aurais porté une robe en satin de Nicole Miller, si possible couleur aubergine, et j'aurais dit : « Grosse Bite Noire, veux-tu accepter cette rose ? »

Ce plan croisière m'assommait, et plus on s'approchait de la Saint-Sylvestre, plus les plans des autres copines semblaient attrayants.

— Ça va être formidable, on va rencontrer des tonnes de mecs, trompétait Crétina, *ad nauseam*.

— Oh, la ferme ! On dirait que tu vas visiter une réserve d'hommes. Si tu t'en fais un monde, tu risques d'être déçue.

Je ne m'attendais à rien et j'étais sûre d'être déçue. En plus, comment allais-je supporter un tête-à-tête avec Crétina à plein temps ? Son enthousiasme me mettait hors de moi. J'essaierais de ne pas l'engueuler, mais dans la mesure où je n'étais jamais restée seule avec elle plus de deux heures d'affilée, ça allait être mission impossible.

— Je te le donne en mille ! s'est exclamée Crétina en revenant de l'agence de voyages avec nos billets. L'alcool va couler à flots et on va à Enseñada !

J'avais espéré ne jamais revoir Enseñada ! Ce n'est pas un endroit où l'on a envie de retourner. J'y avais passé la nuit quelques années auparavant avec deux mecs que j'avais levés dans un bar et je n'avais rien mangé pendant vingt-quatre heures. La ville puait et je n'avais pas eu envie d'acheter des couvertures et des parkas étalées dans les rues. La mentalité mexicaine demeurait pour moi un mystère : comment pouvait-on être si proche de la civilisation et ignorer la bouffe tex-mex ?

— On va boire à volonté, a-t-elle insisté.

— Mais tu ne bois jamais !

— Peu importe, on va s'éclater !

Je me suis retirée dans ma chambre d'où, paniquée, j'ai téléphoné à ma mère.

Je lui ai expliqué que si mon calvaire continuait, j'allais finir par blesser Crétina moralement et sans doute physiquement. Je lui ai avoué que je fumais des joints de temps en temps et que j'allais augmenter ma dose si j'étais forcée de partir avec elle. Mam's m'a répondu que la vie ne consistait pas à se faire plaisir et que parfois il fallait agir pour le bien des autres. J'ai été d'accord avec elle et je lui ai rappelé que les pipes avaient été inventées à cet effet. Elle m'a rappelé que Crétina était une vierge de vingt-huit ans qui s'attendait à passer les meilleures vacances de sa vie et que je devais avoir une attitude positive et arrêter mes gémissements de déprime. Comment ma mère se montrait-elle si clairvoyante, elle qui, des années auparavant, s'était exclamée en trouvant un joint : « C'est merveilleux. Tu fumes désormais des cigarettes ! »

— Tu as de la chance d'avoir beaucoup vécu. Désormais tu peux aider ceux qui n'ont pas ton expérience, a-t-elle ajouté avant de raccrocher.

Ma vie horizontale

À entendre mam's, on aurait dit que j'étais une débutante qui venait d'être admise à la Sorbonne et que Crétina était née sur l'autoroute du New Jersey. Sa conclusion m'a convaincue et j'ai décidé d'adopter une nouvelle attitude.

C'est marrant comme les choses évoluent. Si on fait semblant d'aimer quelque chose qu'on déteste, on finit par s'en convaincre. En quelques jours, je me suis mise à vanter les mérites de la croisière et de ses attractions. Je n'ai même pas pipé quand j'ai entendu Crétina dire qu'on embarquait sur la Carnival Cruise Line. J'ai même réussi à murmurer entre mes dents :

— Quelle aubaine !

J'ai imaginé toutes les salles de bal où je pourrais exhiber mes nouvelles chaussures Roberto Cavalli. Je n'avais pas de robe décente, mais j'espérais en trouver chez Express. Et puis je me suis vue en héroïne d'un épisode ultraromantique de *La Croisière s'amuse*. Je serais sur le pont Lido par une nuit étoilée, en robe longue, à admirer la Grande Ourse, quand un homme ressemblant à Leonardo Di Caprio s'approcherait de moi et me serrerait contre lui. On irait à l'avant du bateau, on écarterait les bras et on crierait à la mer : « Nous sommes les rois du monde ! »

Et que nous réservait-on comme merveilleuses distractions sur les ponts ? Tout le monde disait que la bouffe est top. J'étais impatiente de me gorger de gigot d'agneau et de homard.

— Ils pêchent le poisson en pleine mer pour le servir le soir même ? s'est enquise Crétina.

— Sans doute, ça me paraît parfaitement logique.

J'ai cru en cette croisière, persuadée qu'on s'amuserait. J'ai rêvassé à toutes les aventures amoureuses qui
m'attendaient sur les différentes pistes de danse. Des
gens entreraient et sortiraient de leur cabine aux petites
heures du jour, déambuleraient sur de riches moquettes
rouges, tandis que dans la grande salle de bal, je ferais
la fermeture dans les bras de mon nouveau Leo au son
de la chanson « Give Me All Night » de Carly Simon.

Crétina était d'accord pour acheter un livre qu'elle
lirait entre deux plongeons dans la piscine. Nous
sommes allées chez Barnes & Noble où je lui ai choisi
une biographie non autorisée de M. C. Hammer. Et,
pour éviter de trop remplir la tête de Crétina, je l'ai
incitée à prendre un guide intitulé *Comment choisir ses
jules*.

La croisière durait quatre jours et trois nuits, partant
de Long Beach pour y revenir le premier de l'an. Le
grand jour, nous devions arriver à l'embarquement à
neuf heures du matin. J'étais si excitée que je me suis
levée sans problème à sept heures et demie pour ne
pas rater le départ. Ma nouvelle attitude m'a étonnée.
J'étais en train de revoir ma philosophie concernant ce
jeu qu'on appelle l'existence. Après tout, Crétina n'était
peut-être pas aussi bête que ça. Le bonheur *est* un choix,
me disais-je. À peine ai-je commencé à prêcher mes nouveaux principes à Ivory et à Lydia que, pour une raison
inconnue, elles ont cessé de m'adresser la parole.

À l'embarcadère, il a fallu passer la douane et montrer nos papiers. Comme si une foule d'Américains
allait immigrer clandestinement au Mexique. On a enre-
gistré nos valises et fait la queue. À voir la tête de nos

compagnons de croisière, il m'a paru évident qu'ils n'avaient pas le même genre de revenus que les gens que je fréquentais. Mais comme, hélas, moi non plus, je me suis abstenue du moindre commentaire désagréable. J'avais l'intention de tout faire pour que cette croisière soit un franc succès. J'ai désigné à Crétina un type au bout de la queue.

— Ce mec n'arrête pas de te zieuter.

— Vraiment ? Lequel ?

— Là-bas, au fond.

Elle l'a finalement repéré.

— Il n'est même pas mignon.

C'était indéniable, mais comme elle n'était pas non plus Miss New Jersey, sa réaction désenchantée m'a surprise. Elle n'imaginait tout de même pas qu'elle allait puiser dans mes réserves. Crétina avait quelques kilos de trop qu'elle ne semblait pas pressée de perdre. Sans être grosse, je la voyais mal exposer son ventre dans un maillot brassière.

— Oh, mademoiselle joue les difficiles ! ai-je dit.

— Cette croisière, je la sens. Je sais que je vais rencontrer quelqu'un.

J'avais plus de chance de mettre au monde un pingouin que Crétina de trouver l'âme sœur. Mais, grâce à ma nouvelle disposition charitable, je l'ai bouclée. Mon but principal serait qu'elle se fasse sauter ou du moins peloter. Seconde priorité : me faire sauter. Ma mère m'avait convaincue de ma générosité et, malgré quelques doutes sur la question, je voulais prendre mon rôle très au sérieux.

En montant la passerelle, j'ai changé d'humeur : j'ai éprouvé tout d'un coup ce qu'on ressent après avoir

160

mangé un mauvais lot de sushis : une nausée plus proche du haut-le-cœur intestinal que du mal de mer. Ce bateau était dans un état bordélique. L'odeur fétide qui émanait probablement du tapis m'a fait penser à celle d'un bar où je m'étais réveillée après une nuit plutôt imbibée. La moquette comportait d'horribles dessins psychédéliques destinés à cacher un grand échantillonnage de taches.

Certains membres d'équipage portaient des chemises bleues ornées du sigle Carnival, alors que les autres, sans uniforme, n'arboraient qu'un badge à leur nom et l'écusson de l'armateur. Certains avaient rentré leur chemise dans leur pantalon, d'autres pas. Tous avaient l'air d'une bande de je-m'en-foutistes limite débiles. Des photos d'employés avec des têtes encore plus nases étaient accrochées de guingois sur les murs. La plupart n'avaient même pas l'air d'avoir dix-huit ans. J'ai commencé à avoir des sérieux soupçons sur la qualité de ce bateau et de ses prestations.

Crétina m'a saisi le bras :

— Allons voir notre cabine, nous disposons d'une *suite*.

Je n'ai rien répondu, j'étais encore en état de choc, terrassée par un sentiment de dégoût – causé par un profond sentiment de déception ou par l'odeur nauséabonde.

Nous avons grimpé à notre cabine (quatre étages à se taper à pied) et nous nous sommes faufilées dans une coursive si étroite qu'il a fallu avancer en crabe. Où avait-on filmé *La croisière s'amuse*? Pas sur ce paquebot de merde en tout cas! Nous avons découvert deux couchettes superposées et un hublot en verre si épais qu'on ne pouvait distinguer l'origine du bleu qu'on apercevait à travers : le ciel ou la mer ?

— C'est ça la vue sur l'océan ? ai-je demandé à Crétina en trébuchant sur le seuil.

Apparemment on commençait à bouger.

— Oh, mon Dieu, c'est pas terrible !

Elle s'est mise à rire. Pas moi.

— Je ne peux pas rester ici, ai-je dit. Impossible.

— Oh, c'est pas si mal ! De toute façon, on ne peut pas s'en aller. On a quitté le quai.

— On pourra toujours nager jusqu'à la côte.

— Arrête ! On va vivre une grande aventure.

Il fallait que je trouve le capitaine Stubing immédiatement, ainsi que Isaac et le toubib. Où était Julie, cette pute shootée ? Je voulais dormir dans leurs immenses cabines avec de super grands lits et disposer d'une femme de chambre.

Quand j'ai recouvré mes esprits, il était temps d'élaborer des plans. Premièrement, commencer par picoler. J'ai l'esprit plus clair après quelques verres. Deuzio, trouver une manière de se tirer.

On a déposé nos valises et je suis allée dans la salle de bains me refaire une beauté. Elle mesurait un mètre carré et il fallait enjamber le cabinet pour accéder à la douche. J'ai longuement observé les lieux, sans savoir où caser mes jambes en position pipi car il n'y avait que cinq centimètres de libre entre le trône et le mur. Tout à coup, j'ai compris : je devais m'asseoir sur le côté et poser mes pieds dans la douche. J'ai appelé Crétina pour qu'elle se rende compte du désastre.

— Oh, mon Dieu! Mon Dieu! Comment allons-nous faire?

— C'est ça, ta putain de *suite*? C'est ça qui m'a coûté neuf cents dollars?

— Je suis navrée. Je te rembourserai ma part. Tu n'as pas à payer pour moi.

— Parfait. File-moi des espèces.

Nous avons quitté notre palais pour visiter le bateau et trouver à boire. Crétina s'est procuré une liste des distractions : le casino ouvrirait dès que nous aurions quitté les eaux californiennes. Enfin une bonne nouvelle. J'adorais jouer. Ça et le fait d'être en mer m'ont rappelé *Porky's*, un de mes films favoris où il n'est question que de... cul. Nous avons acheté des jetons et fait la queue derrière une bonne femme qui portait deux bananes autour de la taille. Il lui manquait une dent de devant.

Un peu plus tard, nous sommes montées sur le pont Lido pour prendre la température de la piscine et avaler un godet. Un mec était assis au bar, cheveux jusqu'au bas du dos et jean noir coupé. Ce type avait un vrai problème de chevelure : sans un poil sur le crâne, il arborait une queue de cheval qui partait de derrière ses oreilles. En prime, il avait les cheveux fourchus. Pas banal pour un chauve, hein?

J'ai voulu savoir où on pouvait se procurer à boire.

— Que désirez-vous?

— Vous travaillez ici?

— Parfois.

Crétina a fait la grimace, mais j'ai insisté.

— Une vodka Grey Goose avec n'importe quoi dedans. Deux fois.

— Où est la piscine ? ai-je ajouté, toujours à l'intention de notre barman.

Il a pointé son doigt vers une citerne dans le style du parc d'attractions Sea World, sauf qu'elle était vide et recouverte d'une bâche tricolore.

— C'est ça la piscine ?

— L'une d'elles. Il y en a quatre autres mais, hors saison, elles sont fermées.

— Hors saison ? a répété Crétina.

— Oui, de novembre à février, a-t-il répondu en nous tendant nos vodkas dans des gobelets en plastique.

— Alors, tu es d'accord pour rentrer à la nage ? ai-je demandé à Crétina.

J'ai remercié cheveux fourchus avant de m'apercevoir qu'il nous avait servi de la vodka bas de gamme mélangée à du sirop. Crétina a adoré, ça lui rappelait ses années en maternelle.

Comme il n'y avait pas un chat sur le pont Lido, nous sommes redescendues. Au troisième loubard à cheveux longs, j'ai suggéré à Crétina d'aller dormir.

— Autant nous allonger dehors.

— Mais il fait à peine 14 °C.

— C'est la meilleure température pour prendre des couleurs.

Munies de nos maillots et du menu pour le dîner, nous sommes remontées sur le pont Lido. Cheveux fourchus était toujours à son poste. Je lui ai demandé une vraie vodka dans un vrai verre, mais il m'a répondu qu'on n'utilisait des verres qu'à la salle à manger. Il n'a rien dit sur la vodka.

— Quand dîne-t-on ? a voulu savoir Crétina.

— Il y a deux services, l'un à sept heures, l'autre à neuf heures, dans la grande salle à manger.

— Il faut s'habiller ?

— Et comment ! Pas de short, ni de tennis, ni de ventre à l'air.

— Facile !

Il y avait trop de vent pour se mettre en costume de bain. Nous nous sommes posées dans des chaises longues au bord de la citerne bâchée et nous avons regardé le ciel. J'ai songé à enlever la bâche et à plonger aussi sec. Je n'aurais pas été la première... J'ai pensé à appeler police secours, mais mon portable ne passait pas. Quel désastre ! Mon attitude positive s'était évaporée depuis longtemps, néanmoins j'ai essayé de rester calme.

J'ai proposé à Crétina de dîner à sept heures, car j'espérais être ivre morte à neuf heures. Le casino n'ouvrant que le lendemain (encore une surprise !), nous avons continué à boire jusqu'à une heure. Quand nous nous sommes réveillées d'une longue sieste (plus élégant que de dire que nous étions beurrées comme des coings, non ?), nous étions entourées de mouettes qui finissaient les cacahouètes laissées sur le bar. J'ai cru avoir atteint le fond du trou lorsqu'on a annoncé par haut-parleur qu'un concours de palet aurait lieu dans cinq minutes sur notre pont. Il était temps de déguerpir.

Parmi la liste des activités idiotes proposées, nous avons choisi le loto dans la salle Carnival. Là, nous nous sommes assises à côté d'un couple qui allait se marier à bord. La nouvelle a mis Crétina dans tous ses états.

— Comme c'est romantique! Où vous êtes-vous connus? Comment s'est déroulée la demande en mariage?

J'aurais bien aimé lui rappeler que se marier sur ce bateau et porter des tee-shirts ZZ assortis n'avait rien de romantique, mais je n'ai pas voulu lui faire de la peine.

Cette croisière leur tiendrait lieu de voyage de noces, car la fiancée, qui travaillait dans une centrale électrique, ne pouvait pas prendre plus d'une semaine de vacances. C'est la dernière chose que j'ai entendue avant de hurler.

— Bingo!

— Vraiment! Vous avez gagné? a crié ma voisine.

La meneuse de jeu m'a désignée et tout le monde a applaudi quand je me suis levée.

— C'était une blague! ai-je annoncé et j'ai quitté la salle.

J'étais complètement soûle et j'avais besoin d'air frais. Crétina m'a suivie, mais je voulais être seule.

— Tu vas sauter par-dessus bord? s'est-elle inquiétée.

— Non, mais il faut que je mange. Je suis bourrée.

— Arrête donc de boire.

— Tu n'as pas d'autres conseils à me refiler?

À sept heures moins le quart, nous avons fait un peu de footing sur le pont Jaune.

— Il est temps d'aller nous préparer, s'est exclamée Crétina.

— Nous préparer pour quoi?

Nous nous sommes dirigées vers la table qui nous avait été assignée. Trois mémères de quarante ans y étaient déjà assises.

— Super ! ai-je commenté.

Nous nous sommes posées, laissant cinq places vacantes.

— Bonsoir, a dit Crétina en faisant les présentations.

Ces dames étaient charmantes, guindées et venant sans doute d'un bled où il n'y avait ni télévision ni magazines.

— Nous sommes du Nebraska, a dit l'une d'elles.

Je l'aurais deviné ! En revanche, j'étais étonnée que quelqu'un se donne le mal de prendre un avion pour participer à cette croisière. Elles n'arrêtaient pas de glousser en nous avouant que c'était un voyage entre filles, loin des maris. Sûr et certain qu'elles n'avaient rien connu de plus cochon dans leur vie qu'une partie mixte de bataille navale.

Après une minute de conversation polie, la maigre de la bande, une très brune à la peau très pâle, nous a demandé :

— Êtes-vous chrétiennes ?

— Oui, a répondu Crétina.

— Oh, quelle merveille ! ont-elles déclaré avec ferveur. Ravies de faire votre connaissance.

— Non, tu n'es pas chrétienne, ai-je dit à Crétina. Tu es presbytérienne. C'est très différent.

Typique de Crétina. Son ignorance, même en ce qui la concerne, est crasse.

— Peu importe, je crois en Jésus.

Quel manque de loyauté ! Voilà pourquoi je ne voulais pas partir en vacances avec elle. Elle est aussi méchante que ma sœur Sloane. J'étais maintenant la seule athée de la table. Heureusement, j'avais assez picolé pour me sentir de taille à me défendre.

— Je suis juive, ai-je affirmé en commandant une double vodka Grey Goose avec du jus d'airelles.

J'espérais que la vraie salle à manger disposait de vraie vodka.

— Comme c'est bien, a fait une des da-dames.

Ensuite, comme si je n'avais rien dit, les mémères ont commencé à discuter de la nature perverse des juifs qui avaient tué le gentil Jésus. J'étais tellement ivre que je n'en ai pas cru mes oreilles : comment pouvait-on parler religion en vacances ? Comment Mme Nebraska pouvait-elle deviser d'un sujet aussi controversé ? Une de ses copines a alors déclaré que, s'il ne tenait qu'à elle, le président Bush serait réélu et l'avortement interdit. Il était temps qu'on fasse taire une telle menace pour la société.

— J'ai une question à vous poser, ai-je dit en l'interrompant. Est-il sain de boire quand on est enceinte... et qu'on a l'intention de se débarrasser de son enfant en le faisant adopter ?

Cette fois-ci, Crétina ne m'a pas suivie dehors.

Quatre Mexicains prenaient l'air sur le pont Lido. Je les ai surnommés « *Cholos* », car l'un d'eux portait un chapeau marqué « *Cholo* » en grosses lettres.

— Quoi de neuf, les mecs ? ai-je demandé en prenant une chaise longue à leur côté.

Ils fumaient de l'herbe en se passant une sorte de cigare.

— C'est un joint ?

— Ouais, ma belle. T'en veux une bouffée ?

J'avais appris à mon corps défendant les dangers de la marijuana trafiquée et j'étais trop ivre pour fumer autre chose.

— Non, merci. Vous retournez au Mexique ?

Un des mecs s'est approché de moi.

— Je m'appelle Rico.

Il portait des chaussettes blanches jusqu'aux genoux, un jean beige transformé en short, une grosse ceinture noire. Un tee-shirt sans manches complétait son accoutrement. Il avait le crâne rasé mais une moustache touffue.

Au moment où Rico s'est assis à côté de moi, je me suis penchée et j'ai vomi. Ses trois copains se sont reculés, écœurés. J'étais gênée, mais je ne pouvais pas m'arrêter. Je me souviens vaguement que ses amis sont partis, et Rico est resté pour me tenir la tête.

Finalement, il m'a emmenée contre le bastingage où j'ai pu dégueuler pendant les quatre heures suivantes. J'étais incapable de bouger d'un pouce. Il l'a compris et il a sorti un élastique de sa poche et m'a fait une queue de cheval. Un mec extrêmement serviable. Sans lui, il y a de fortes chances que je sois tombée par-dessus bord. Il a fouillé dans mes poches pour trouver ma clé et, vers minuit, a décidé qu'il était temps de me ramener à ma cabine.

— Laisse-moi tranquille, je veux dormir là, ai-je crié.

— Non, *mija*, c'est impossible. Tu vas te congeler comme une dinde.

Il faisait froid, mais pas au point de se frigorifier sur pied. Et j'ai regretté qu'il parle de bouffe.

Après une heure de tractations, j'ai accepté qu'il me porte jusqu'à ma cabine, ce qui n'a pas été facile vu l'étroitesse des coursives. En chemin, les passagers nous ont dévisagés comme s'ils voyaient une scène du

Patient anglais, en nous demandant si tout allait bien. J'ai essayé de leur répondre, mais il m'était impossible d'articuler.

Lorsqu'il a ouvert la porte de la cabine, Crétina a bondi sur ses pieds dans son pyjama Shrek en hurlant :

— Oh, mon Dieu, ça va ? Et vous, vous êtes qui, bordel ?

— Du calme, *mija*, je ne fais que livrer votre amie.

— Sortez ! À l'aide !

— Au revoir, fille glacée, a-t-il dit avant de disparaître, tandis que Crétina balançait une chaussure dans sa direction.

— Merci, ai-je marmonné en entendant la porte se fermer.

Je me suis allongée sur la couchette inférieure.

— La ferme, il s'est occupé de moi.

Et sur ce, je suis tombée dans les pommes.

En me réveillant le lendemain matin, j'étais ravie d'avoir perdu trois kilos. J'ai annoncé à Crétina qu'on quitterait le bateau à Ensenada et qu'on paierait des Mexicains pour qu'ils nous conduisent à Los Angeles.

— Je refuse de passer la Saint-Sylvestre à bord, ai-je conclu.

— C'est ridicule. Si on monte en voiture avec des Mexicains, on risque de se faire violer.

— Une façon agréable de passer le réveillon, ai-je rétorqué.

Je préférais encore être violée plutôt que de rester un jour de plus à bord.

— Réfléchis, je sais qu'on fait du parachute tiré par un bateau sur les plages du Mexique. On pourrait rentrer comme ça.

Puis je me suis retournée pour me rendormir.

— Tu peux aller au casino maintenant, on est au Mexique, m'a dit Crétina en me secouant deux heures plus tard.

Immédiatement, je me suis sentie mieux. J'avais besoin d'avaler un cheeseburger avant d'ingurgiter le moindre alcool et nous sommes allées dans la salle à manger. Tout en avalant le pire cheeseburger de ma vie, j'ai expliqué à Crétina que Rico s'était très bien occupé de moi et qu'elle ne devait pas juger les gens sur leurs chaussettes.

— J'ai eu la trouille. Je ne savais pas où tu étais et mon père m'a dit de ne pas quitter la cabine pendant la nuit.

Qu'elle ait téléphoné à son père ne m'a pas surprise. Elle l'appelait plusieurs fois par jour dans le New Jersey pour lui demander s'il allait pleuvoir en Californie ou si la nourriture de Subway, une chaîne qui fait des sandwichs, était mangeable. Son plus beau conseil ? « N'utilise jamais de tampons, mais des serviettes hygiéniques, car il y a un tueur en liberté qui s'appelle le syndrome du choc toxique. » J'aurais aimé dire au papa de Crétina que j'étais la preuve vivante qu'on peut garder un tampon trois jours de suite sans risque d'inflammation, mais en vieillissant j'avais moins envie de me bagarrer pour des broutilles.

J'ai demandé à Crétina si elle avait songé à mon idée de rentrer à Los Angeles.

— Mon père me l'a interdit, trop dangereux.

J'ai bien pensé à partir seule, mais je ne pouvais pas l'abandonner. J'avais du mal à croire que j'allais faire des ravages la nuit de la Saint-Sylvestre.

171

— Bon, allons jouer en attendant. Je vais t'apprendre le black-jack.

J'ai joué huit heures de suite sous la surveillance de Crétina. J'ai gagné quatre cents dollars et me suis sentie en pleine forme. Elle avait si peur de jouer avec son argent que j'ai fini par lui donner pour cent dollars de jetons. Elle n'a misé que le minimum, ce qui lui a permis de jouer plus longtemps.

J'aurais bien continué jusqu'au petit matin et j'ai demandé au croupier à quelle heure il fermait.

— Pas avant après-demain quand on regagnera la Californie.

À ce moment est passé à côté de notre table le sosie de Scott Wolf. Je n'avais encore rien bu, sa présence m'a donné une excuse pour arroser ça. Il n'était pas tout à fait aussi mignon que Scott Wolf, mais personne ne l'était sur ce bateau. Il avait des cheveux plus clairs et un corps assez trapu pour un type d'un mètre soixante-dix. Crétina m'a poussée du coude. Il était à l'évidence le plus beau mec à bord.

— Pas question ! ai-je prévenu Crétina en pinçant les lèvres. Par contre, tu peux avoir Rico.

J'ai étudié le physique de ce garçon qui allait être mon sauveur et je l'ai appelé :

— Ça t'ennuierait de venir ici une minute ?

— Avec plaisir.

— Tu t'appelles Kevin ?

C'était ma phrase favorite pour draguer.

— Non.

— Vraiment ? Tu ne me reconnais pas ?

— Si vaguement.

172

Ce qui voulait dire que je l'intéressais.

— Je te présente Crétina et moi, c'est Célibataire.

— Arrête, ce n'est pas mon nom !

Il s'est mis à rire et j'ai su que j'allais coucher avec lui.

— Tu as des amis à bord ? ai-je demandé.

— Bien sûr. Nous serons toute une bande au Club Paradis dans une heure. Vous voulez nous y rejoindre ?

— On t'y retrouvera.

Il était vraiment mignon et j'étais ravie. Une douche devenait obligatoire.

— Allons nous préparer, ai-je dit à Crétina.

Elle était plus excitée qu'un chimpanzé tenant une banane.

— Oh, mon Dieu, c'est incroyable ! Tu crois que ses copains seront aussi mignons ? Je vais mettre quoi ? Je suis si excitée, j'espère qu'on va danser.

J'espérais bien qu'on ne danserait pas, mais ça n'allait pas gâcher ma chance de trouver un mec. Ce serait mon troisième réveillon de suite sans véritable petit ami et, cette fois, je n'avais pas l'intention de me morfondre toute seule. Si jamais cela se renouvelait l'année prochaine, je serais officiellement au fond du gouffre.

Nous nous sommes douchées en gardant nos tongs pour éviter de marcher sur la moquette. En m'habillant, j'ai bu trois gobelets de vodka avec du jus d'orange pour me charger en vitamine C. Je n'avais pas dîné pour éviter de me colleter avec la femme de John Ashcroft [1]

---

1. Ancien ministre de la Justice ultraconservateur.

et j'ai avalé deux barres de chocolat afin d'emmagasiner l'énergie suffisante pour danser. J'étais en pleine forme et surtout amaigrie. Les lendemains de dégueulis sont géniaux : je me sens légère comme une plume.

Nous sommes montées au club Paradis, un endroit qui aurait dû être coulé par une torpille voilà des années. J'ai repéré la version affadie de Scott Wolf parmi un groupe de types corpulents. Ils avaient l'air d'étudiants bien propres sur eux et n'avaient pas dépassé les vingt ans. J'en avais vingt-six et je n'allais pas faire la difficile. À terre, sa parfaite dentition n'aurait rien eu de remarquable.

Comme d'habitude, Crétina m'a collée et j'ai demandé à un des jeunes de l'inviter à danser. Ce qui m'a permis de rester seul avec mon mec. De plus, je n'aime pas m'exhiber en public.

Il s'appelait Les, ce qui sonnait comme le nom d'un pédophile, mais j'ai pris ça pour une épreuve à laquelle Dieu me soumettait. Dès que Crétina a semblé se détendre, j'ai demandé à Les s'il avait une cabine individuelle.

— Non, je la partage. Mais mon copain est en train de danser.

— Et tu as des couchettes ?

— Oh ! oui, a-t-il répondu, l'air un peu gêné.

— Tu veux y aller pour s'amuser un peu ?

— Oh-oui-putain-de-mes-deux !

J'ai trouvé que sa réponse ne manquait pas d'ampleur pour quelqu'un de sa taille. J'ai commencé à trouver ce type de plus en plus sympathique. J'aime les jeunes gens qui ont confiance en eux.

J'ai prévenu Crétina que Les voulait me montrer sa cabine et que je serais de retour dans une heure. Elle a râlé et je lui ai donné matière à réfléchir. Cette croisière était un tournant dans sa vie et si elle montrait qu'elle sortait enfin de l'adolescence pour entrer dans l'âge adulte, qui sait si nous ne partirions pas plus souvent en vacances ensemble. Comme elle n'a pas eu l'air convaincue, je lui ai promis de l'abonner à *Jeune et Jolie*.

Étant presque à jeun, je me suis sentie un peu faible et en manque d'un remontant. Aussi, quand, à peine la porte franchie, Les m'a jetée sur la couchette inférieure, je ne me suis pas débattue. En fait, sa violence m'a excitée et j'ai imaginé que sa zézette aurait au moins une taille convenable. En fait, je lui faisais passer une audition : jusqu'à maintenant, il avait gagné le droit de revenir le soir du réveillon.

À vrai dire, je l'avais sous-estimé, ce jeune Les. Non seulement la taille de son instrument dépassait la moyenne, mais il avait la force des troupes d'assaut en Irak. J'ai trouvé qu'il avait le corps de Serena Williams. Bien vite, j'ai été débordée. Sans m'en apercevoir, je me suis retrouvée à poil et sur la couchette supérieure. Les a fait un drôle de saut périlleux pour prendre une capote à l'autre bout de la cabine et il est revenu en exécutant un triple salchow. Ce type devrait participer aux Jeux Olympiques – et pas ceux à ma portée. Soudain, il m'a grimpé dessus. L'instant suivant, il m'a retournée comme une crêpe et je me suis retrouvée à quatre pattes. On ne m'avait jamais manipulée ainsi et j'ai adoré. Ce voyage se transformait soudain en un épisode de *La croisière s'amuse*. Demain, il me faudrait réserver pour l'année prochaine.

À ce moment-là, Les m'a frappée. Ni une tape ni une caresse, mais une énorme claque sur ma fesse droite. Le coup a été si violent que j'ai toussé et il s'en est fallu d'un cheveu que je tombe. Le temps – quelques secondes – pour me rappeler son nom et il m'avait flanqué encore trois claques, sur une fesse puis sur l'autre.

— Eh! Toi! Arrête ça! j'ai enfin pu crier.

— Qu'est-ce qui ne va pas?

— Tu m'as frappée, non?

Je me suis tournée pour qu'il me voie de face.

— Tu n'aimes pas? a-t-il demandé de sa voix suave.

Il était redevenu comme avant.

— Oh! je ne sais pas... J'ai pas été bien?

Cette question idiote est sortie de ma bouche toute seule. En général, on doit discuter fessée avant, pas après. J'ai eu un peu l'impression d'avoir été violée et qu'après notre petite affaire, il faudrait que je lui prépare un sandwich.

— Je dirais que tu as pris ton pied, a-t-il dit en respirant bruyamment.

En vérité, j'avais aimé ça mais, en même temps, en raison de la violence de ses claques, j'ai pensé que je devais râler. Je n'avais pas perdu la tête depuis le jour où j'avais entendu parler George W. Bush pour la première fois. J'avoue que j'aime bien la bagarre. Mais jamais au milieu d'une grande scène d'amour, et je ne connaissais pas assez bien Les pour nous disputer. J'ai pensé le frapper à mon tour, mais cela aurait manqué de spontanéité. J'avais l'habitude de diriger les opérations au lit, et je ne savais pas comment réagir quand quelqu'un d'autre était à la barre. D'autant que nous avions à peu près la même taille.

— Bon, tout baigne, j'ai fini par dire.

Ça a continué encore un quart d'heure jusqu'à ce qu'il jouisse et qu'il devienne tout tendre. Quelle coïncidence !

— Quel âge as-tu ? j'ai demandé quand tout a été terminé.

J'étais encore sur la couchette supérieure, lui, en bas. Je me sentais seule et j'avais envie de bavarder. On ne m'avait jamais quittée aussi vite après m'avoir sautée. En général, je partais la première. Maintenant qu'on m'avait fait le coup, j'ai compris qu'on pouvait se sentir abandonnée.

— J'aurai dix-neuf ans le premier janvier.

— Il faut que je rejoigne mon amie.

J'ai sauté de ma couchette, nue comme un ver, me couvrant la foufoune d'une main et le sein droit de l'autre. Mon sein gauche étant exposé, je me suis dépêchée de me rhabiller pour éviter qu'il soit attaqué.

Comment ai-je pu m'envoyer un presque mineur ? me suis-je demandé dans ma stupeur éthylique. J'étais mécontente. Mes amants avaient toujours eu au moins mon âge. Où Les avait-il appris à battre les femmes ? J'ai eu peur qu'il m'ait menti sur son âge et qu'il soit encore plus jeune, ce qui aurait été du détournement de mineur. Je voyais déjà la police maritime me faisant descendre du bateau, menottes aux mains et bracelets aux chevilles.

Le lendemain était le 31 et Crétina et moi avons décidé de voir le spectacle *Swing, swing, swing,* car ma veine au jeu s'était tarie. J'avais perdu deux cents dollars. En prenant nos places, j'ai aperçu Rico, deux rangs derrière nous.

— Salut, Rico, ai-je crié, *comó te llamas?*

Il nous a regardées et a fait un geste de la main qui, en espagnol, devait vouloir dire d'aller nous faire mettre.

— Tu as dû tellement l'agresser, ai-je dit à Crétina, qu'il refuse de nous parler.

— Merci de t'être occupée de moi l'autre soir, ai-je crié.

Il a alors fait un geste que je n'avais jamais vu. Pourquoi il m'en voulait? Je ne lui avais pas jeté de chaussure à la figure, moi.

Le minable rideau de scène s'est écarté et le spectacle a commencé. La première personne à apparaître fut un mâle torse nu, portant des collants verts filés sur une jambe et une fausse couronne sur la tête. Il a bondi sur l'estrade en faisant deux sauts sur les mains suivis d'un saut périlleux. J'aurais reconnu ces cabrioles n'importe où, sur terre ou sur mer. C'était maintenant officiel : à vingt-six printemps, j'avais atteint le fond de l'abîme. Non seulement j'avais couché avec un gamin de dix-huit ans qui m'avait battue, mais il était aussi le jeune premier d'un spectacle catastrophique du nom de *Swing, swing, swing*.

Finalement un vrai boyfriend n'était peut-être pas la pire chose qui pouvait arriver à une fille.

Un *come out*

Je cherchais un singe sur le site du Discovery Channel quand mon portable a sonné. Nathan voulait savoir si je serais son alibi à la prochaine réunion des anciens élèves de son lycée.

C'est bizarre, mais Nathan croit encore qu'il peut cacher son homosexualité. Mais il suffit de rester tard chez lui pour connaître la vérité. Inutile d'avoir décroché une mention « très bien » au bac pour savoir que si on vous fiche à la porte à une heure du matin, il y a une raison. Surtout si on croise dans l'escalier un Mexicain bien foutu que Nathan a commandé chez « On livre des bites ».

Les anciens condisciples de Nathan ainsi que ses parents ne se doutaient pas de son homosexualité. Ses parents ignoraient qu'en l'envoyant à quinze ans chez un psychiatre ils avaient facilité une idylle qui avait duré dix ans. « Idylle » n'est pas le mot que j'utiliserais pour décrire un psychiatre qui vous fait des pipes, mais Nathan a toujours prétendu que leur relation n'était pas à sens unique et qu'ils avaient de vrais sentiments l'un pour l'autre. À l'évidence, la vengeance d'un juif qui n'a pas accès aux pédophiles de l'Église catholique. (Débrouillards comme nous sommes, nous avons créé notre système pour nous taper des enfants, puis nous en ajoutons une couche en payant notre agresseur.)

Quand Nathan m'a mise au courant, j'ai été terriblement déçue qu'aucun de mes analystes n'ait été tenté de me faire un broute-mimi. Il ne m'en a parlé qu'après des années d'amitié, presque contraint et forcé : il voulait que j'aille chez ses parents en me faisant passer pour sa petite amie.

— Ton psychiatre sera présent ?

— Non.

— Pourquoi j'irais, alors ?

— Mes parents veulent faire ta connaissance. Je leur parle de toi tout le temps. Ils sont persuadés que je vais bientôt me marier.

— Mais il n'en est pas question. Et sûrement pas avec moi.

On s'entendait si bien que nous avions souvent discuté mariage avec Nathan, mais, après réflexion, je m'étais rendu compte que je n'avais pas intérêt à gâcher mon premier mariage en épousant un homo.

Toutefois, Nathan m'avait convaincue et j'avais fini par passer plusieurs vacances familiales avec lui. Nous avions été à Telluride, dix jours au Fidji, deux weekends dans la maison de famille de Big Bear. J'arrivais à tromper mon monde et j'en retirais des tas de billets d'avion gratuits. Sa famille m'amusait et j'aimais sa mère juive et autoritaire qui me bombardait de questions – ma position favorite pour baiser ou mon ascendant. Elle s'asseyait à côté de moi, jouait avec mes cheveux et me regardait comme si j'étais Boucle d'or, sans arriver à croire que j'étais juive moi aussi. Maman est tout le contraire d'une mère juive typique : elle parle d'une voix douce et n'arrête pas de faire la sieste. Du coup, j'ai toujours rêvé d'une mère abusive qui me casserait les pieds.

J'aurais volontiers accepté d'accompagner Nathan à sa réunion d'anciens élèves, mais il m'avait vraiment mise en pétard au mariage de ma sœur. Aussi, j'ai refusé, même si la réunion s'annonçait plutôt réjouissante.

— Allons, viens, on va bien s'amuser, a-t-il plaidé. C'est au club Bel-Air, les boissons seront gratuites et il y aura plein de beaux mecs.

Des arguments de poids, mais je n'ai pas cédé.

— Je me demande si je vais jamais te revoir.

— Oh ! ne dis pas une chose pareille. Ce n'était pas aussi horrible, tu exagères. Ta sœur m'a même envoyé un mot de remerciement. Elle m'a *adoré* !

Devais-je le croire ? Pas impossible, ma sœur a toujours été une planche pourrie.

— Un mot de remerciement ? Pour quelle raison ? Pour avoir gâché son mariage ? Et comment a-t-elle eu ton adresse ?

— Sur la boîte de Valium que je lui ai donnée. Sloane n'avait pas la forme avant la cérémonie. Au début je ne lui ai donné qu'un demi-cachet, mais après, elle m'en a redemandé et je lui ai offert la boîte entière.

C'était le comble. Comment avais-je pu rater l'occasion d'avaler des pilules en compagnie de ma sainte de sœur ? J'étais à la fois furieuse contre Nathan et ravie que Sloane se soit enfin décontractée. À dix ans, elle me réveillait en rentrant d'une soirée pour me dire : « Chelsea, écoute. Ils fumaient de la marijuana, mais moi j'ai refusé. » J'ouvrais les yeux pour lui répondre : « Et pourquoi donc ? »

— Nathan, tu es ridicule, tu n'as aucune considération pour les autres. J'ai été des dizaines de fois chez tes parents et non seulement j'ai été sage comme une image, mais j'ai cité des versets de la Torah.

— Et si je te paye ?

J'avais toujours rêvé d'être une escorte professionnelle, mais sans penser à me faire payer.

— Combien ?

— Deux cents dollars.

Je me suis esclaffée en prenant l'air de m'étouffer.

— Pas question, espèce d'homo ! À ce prix-là, je ne peux pas faire semblant de te pardonner.

— Oh ! je t'en prie, viens avec moi. On va s'amuser et faire des tas de nouvelles connaissances.

Ce ne serait pas la première fois. Je draguerais un type qui plaisait à Nathan, et si ça ne marchait pas avec moi, Nathan essayerait de se placer. Ainsi, personne ne devinait que Nathan était une folle furieuse, sauf celui qui couchait avec lui. Une chose clochait avec ce système : Nathan aimait draguer le genre bûcheron solide ou camionneur costaud dans les bars sordides. Or, s'il s'avérait que le gars n'était pas pédé, je me retrouvais coincée et n'avais plus qu'à foutre le camp en vitesse par l'issue de secours.

— Je ne vais pas ferrer des mecs pour toi, pas pour deux cents dollars.

— Ils ont tous fait des études, je te promets qu'il n'y aura pas d'imbéciles. Juuuré !

— Toi t'es idiot, et tu seras là !

— Touché ! Tu viendras ?

— Pas pour deux cents tickets ! Il me faut un peu plus d'encouragement.

— Une robe, n'importe laquelle. Tu la choisis, je te la rembourserai. Pas plus de deux cent cinquante dollars.

— Ça me semble raisonnable, ai-je conclu d'une voix conciliante à mon pédé de mac.

Finalement, je n'ai pas dépensé autant, car Barney faisait des soldes. J'ai pu m'acheter aussi un foulard au cas où il y aurait du vent. En fait, c'était une petite écharpe, mais j'avais vu J. Lo la porter sur la tête, nouée sous le menton. Très seyant la soie qui vole au vent. Ma robe était rose pétasse. L'écharpe était crème avec des cercles jaune et lavande et faisait également pétasse. Je n'avais jamais porté de foulard en public et j'espérais bien être remarquée.

Nathan m'attendait dans une limousine avec chauffeur en bas de chez moi. Une façon d'en jeter plein la vue. Il a eu beau m'expliquer que cela lui permettrait de boire, je savais qu'il avait déjà été arrêté trois fois pour conduite en état d'ivresse.

— Grand Dieu ! s'est-il exclamé en me voyant. Je vais te le dire en trois mots : su-per-be !

— Bien, ai-je murmuré d'un air détaché et aristocratique.

Je n'allais pas lui pardonner si facilement. Il lui faudrait me reconquérir.

Le club Bel-Air est situé au nord de Malibu et surplombe l'océan Pacifique. En chemin, quand je ne regardais pas le paysage par la fenêtre que j'avais baissée pour faire des effets d'écharpe, je rappelais à Nathan qu'il avait de la chance de m'avoir pour amie.

— Arrête ce genre de connerie quand on sera à la fête. Je t'ai dit que j'étais désolé et j'ai envoyé une lettre d'excuse à tes parents.

— Encore une chance ! Je n'ai plus le droit de leur emmener qui que ce soit.

— Écoute, je suis navré. J'avais trop bu. Pensons plutôt à ce soir. Tu as une chance rencontrer ton futur mari. Des tas de riches jeunes gens pleins d'avenir sont passés par cette école.

— Tu me prends pour qui ? L'argent ne m'intéresse pas. Leur physique m'importe davantage.

La voiture a ralenti à l'entrée du club.

— Tu es ma petite amie, sauf si je te dis le contraire, m'a-t-il rappelé tandis que le chauffeur ouvrait la portière.

À l'entrée, on nous a distribué des étiquettes avec notre nom. Pas question d'abîmer mon ensemble avec cette étiquette couleur gruyère, sans parler de l'encre rouge vif qui jurait violemment avec la teinte de ma robe. Prenant déjà des risques avec mon écharpe, je ne voulais pas qu'on croie que je voulais faire concurrence à Sarah Jessica Parker.

J'ai prévenu la préposée que j'allais mettre son étiquette dans mon sac, mais elle a insisté pour qu'elle figure sur ma robe. J'ai ajouté que, n'étant pas une ancienne élève, personne ne me reconnaîtrait.

— Ce n'est pas le but. Si tout le monde arbore son nom, cela facilite les contacts.

J'ai cru un instant qu'elle plaisantait, mais elle était dépourvue de tout sens de l'humour.

— Comment vous appelez-vous, ma chère ? a-t-elle voulu savoir.

— Beulah. Je m'appelle comme ça.

Elle a regardé Nathan pour avoir confirmation et il a approuvé de la tête.

— Comment épelez-vous ça ?

— Comme ça se prononce : B-e-u-l-a-h.

Puis elle a collé sa sale étiquette au-dessus de mon sein droit.

— J'adore votre ornement de tête !

— J'adore votre personnalité ! ai-je répondu, les yeux admiratifs et le sourire aux lèvres.

Le même sourire que j'avais utilisé quand un caissier de Wells Fargo m'avait menacée de ne pas créditer un chèque de mon père avant dix jours parce que mon compte était à zéro.

Nathan m'a saisi le bras et m'a tirée vers le patio. Il y avait des buffets tout autour et deux bars à chaque extrémité.

— Je vais chercher à boire, trouve-nous des sièges, ai-je dit.

Je suis allée au bar pour commander deux Grey Goose avec du Perrier.

— Quatorze dollars, je vous prie !

— Je croyais que les boissons étaient gratuites.

— Seulement les marques ordinaires. Vous voulez du Gordon ?

— Qui est-ce ? ai-je demandé pour rire.

Il a ri à moitié et haussé seulement une épaule.

— Minute !

J'ai couru vers Nathan.

— Aboule du fric, le bar n'est pas gratuit. La fête commence mal.

Je lui ai fait comprendre que les choses iraient de mal en pis si Chelsea était mécontente. Il a entendu le message.

En revenant, verres en main, j'ai trouvé Nathan en prise avec une femme d'âge moyen vêtue d'une robe bustier en coton mélangé qui faisait ressortir ses seins. Ses cheveux blonds étaient trois fois trop clairs et elle buvait ce qui devait être du vin blanc. Ce genre de greluches adore le vin blanc, surtout dans la journée. Comme bien des femmes, elle était sous le charme de Nathan. Il a une façon de leur faire croire qu'elles sont belles et sexy : même mes amies y ont cru au début.

Elle n'arrêtait pas de se coller à lui et, pour ne pas être de trop, je suis allée m'asseoir à une table derrière eux. Il lui a fallu cinq minutes pour s'apercevoir de ma présence.

— Je m'appelle Lynn, a-t-elle dit en me tendant la main.

— Beulah, ça boume ? a demandé Nathan.

— Oh, je suis navrée, êtes-vous tous les deux..., a fait Lynn en nous désignant.

— Oh, non ! ai-je rectifié. Il est juste mon maître nageur. Nous sommes très proches, mais rien de plus.

Je lui ai décoché un clin d'œil.

Nathan a détourné la tête pour éviter de nous regarder dans les yeux.

— Vous êtes une nageuse professionnelle ? a demandé Lynn.

— Je fais du ballet nautique. Je suis la seule à pouvoir concourir sans pince-nez.

— Vraiment. Comment y arrivez-vous ?

— Pas facile. Je me suis entraînée à retenir ma respiration sous l'eau et au-dessus de l'eau pendant six minutes. Les épreuves ne durent que cinq minutes.

Je n'avais aucune idée de ce que je racontais, mais un délai de cinq minutes m'a semblé raisonnable. Pourquoi retenir sa respiration au-dessus de l'eau ? Le truc n'avait pas de sens. Mais quand je commence à raconter des bobards, je ne peux plus stopper.

Un peu perdue, Lynn allait ouvrir la bouche pour intervenir, quand j'ai ajouté en vitesse :

— Il y a de fortes chances que j'aille aux jeux Olympiques d'Athènes en 2004.

Nathan a toussé bruyamment.

— En fait...

— Il est très superstitieux, l'ai-je interrompu. Il n'aime pas que j'en parle avant les éliminatoires, ça risquerait de me porter la poisse. Je lui répète que Dieu m'a donné un don et que la poisse n'existe pas.

— Amen ! a dit Lynn.

— Alléluia ! j'ai répondu.

Lynn a posé sa main sur le bras de Nathan.

— Un maître nageur ! Vous devez avoir une forme physique éblouissante !

Nathan a souri timidement, comme pour s'en excuser.

Je suis intervenue.

— Je vais voir si je peux trouver un gros poisson dans la piscine. Faites donc plus ample connaissance.

J'ai ajouté en faisant un clin d'œil à Lynn :

— C'est un cœur à prendre !

Je me suis promenée dans un salon dominé par un lustre imposant. Le club était immense, démentiel, et disposait de quatre patios. J'adore ce genre d'endroit où l'on peut se perdre facilement. Si on commet une gaffe, il suffit de changer de paysage pour se faire oublier.

C'était une école de garçons et j'étais sûre de pouvoir harceler de nombreux mecs. Je me suis dirigée d'un pas tranquille vers le bar à sushis, où j'ai rempli une assiette avant d'aller m'asseoir toute seule, près d'une fenêtre. J'ai pris une mine triste et peinée afin de signaler à des soupirants potentiels que j'étais disponible et, plus important encore, vulnérable.

Les dix premières minutes je n'ai rien ferré. Tout d'un coup un superbe spécimen vêtu d'une chemise Ted Baker m'est passé devant les yeux. Je connais ces chemises sur le bout des doigts et quiconque en porte une mérite un beau compliment.

— Veuillez m'excuser, ai-je dit tandis qu'il regardait à droite ou à gauche pour savoir qui l'appelait, mais j'adore votre chemise.

— Oh, vous êtes trop aimable, a-t-il répondu en souriant.

— Une Ted Baker, non ?

— Absolument.

— J'ai travaillé pour cette boîte à Londres.

Je n'avais pas eu l'intention de lui mentir, mais j'avais besoin de le retenir le temps de trouver une ouverture.

Il s'est assis et nous avons bavardé pendant deux minutes des talents de Ted Baker. Finalement, il s'est présenté.

— Je m'appelle David et vous êtes... Beulah ? Comme ça se prononce ?

Je l'ai tout de suite détrompé.

— Oh ! non, la réceptionniste m'a agacée. J'ai juste voulu me venger. Je m'appelle Chelsea.

— C'est drôle, j'ai toujours pensé que Beulah était un des noms les plus laids sur terre.

David m'a appris qu'il était avocat spécialisé dans les affaires immobilières et qu'il venait d'arriver d'Atlanta pour se rapprocher de sa famille. Il ne connaissait pas grand monde et il était venu à cette fête pour essayer de retrouver d'anciens copains. La majorité de ses amis était mariée et il avait tout juste rompu une liaison de deux ans, il détestait la famille de la fille et il n'avait pas voulu qu'elle influence ses futurs enfants.

— J'aime votre foulard. Pas facile à porter et vous vous en tirez bien.

Sa désapprobation implicite m'a fait rire.

— Touchée ! ai-je dit en l'enlevant.

Il me l'a pris des mains et l'a noué autour de sa tête.

— Vous avez raison, ai-je avoué en le lui retirant.

Les choses pourraient devenir sérieuses, ai-je alors pensé. Je le savais, car je n'ai pas eu envie de me l'envoyer sur-le-champ, ce qui, autant l'avouer, est plutôt rare chez moi. Il avait l'air assuré, de bonne composition et surtout ironique.

Il venait de me demander avec qui j'étais venue, quand j'ai aperçu Nathan du coin de l'œil.

— Beulah ! Te voilà ! Où étais-tu, mon chou à la crème ? Encore en train de flirter ?

Il a posé un baiser sur mes lèvres tout en regardant David.

— On se connaît, non ?

— Je crois, oui. Je m'appelle David Stevenson. Mais j'ai oublié votre nom.

— Nathan, a-t-il répondu, l'air venimeux. Je crois que vous avez un ou deux ans de plus que moi.

— Sans doute. Et, comment ça va ?

— Vous avez fait la connaissance de ma femme ?

Horreur et damnation ! J'allais intervenir quand Nathan a poursuivi :

— La vie est dure depuis qu'elle a terminé sa cure de désintoxication... On est toujours entourés de gens qui boivent.

Il a saisi mon verre, l'a reniflé et a ajouté en me menaçant de son index :

— Bon sang, Beulah, tu n'as pas le droit de boire !

Me prenant par le coude, il m'a forcée à me lever et à partir. Je n'ai pas eu le courage de regarder David. Dans l'impossibilité de m'expliquer ni de rétablir la vérité, j'ai tourné les talons.

— Nathan, tu es vraiment une sale tantouze ! ai-je explosé. Il était mignon et hétéro.

— Ne sois pas idiote. Je le connais. Ne fais rien avec lui. Autrefois il était persuadé que j'étais gay.

— Mais tu l'es, espèce de pourriture !

— Chut. Cette vieille folle de bonne femme a failli me violer par ta faute, et, comme elle travaille à l'école, je n'ai pas pu lui dire de quel bord j'étais.

— Oh! j'en ai marre de tes conneries. On s'en fout que tu sois gay ou pas! J'ai envie de m'amuser. Tu n'es pas seul au monde.

On s'était réfugiés dans un coin du patio pour s'engueuler comme un vieux couple. La discussion terminée, je suis allée m'asseoir à la première table où il y avait de la place.

— Bonjour, j'ai dit à un couple noir installé là. Je ne vous dérange pas?

— Pas tu tout. On est heureux d'avoir un peu de sang neuf pour rajeunir les cadres, a répondu la femme avec un grand sourire.

Elle m'a tout de suite bottée.

Je pense avoir été noire dans une vie précédente, car j'adore les Noirs. Ils ont une façon de s'exprimer qui m'attire. La majorité des Blancs cache ses sentiments et ne se laisse pas aller comme les Noirs quand ils sont excités. Il suffit de comparer un Blanc et un Noir qui gagnent à un jeu télévisé : le Noir saute de joie. Leur spontanéité, leur goût pour la fête donnent un sens véritable à la vie.

— Vous et votre époux avez eu une petite conversation, non? a demandé la femme en désignant Nathan.

Visiblement notre altercation n'était pas passée inaperçue.

— Oui, mais ce n'est rien, juste une petite scène. À propos, je m'appelle Beulah.

— Quel joli prénom? Ça vient de la famille?

— Absolument.

Ce n'était qu'un demi-mensonge. Il existe forcément une famille dans laquelle il y a plein de Beulah. La seule Beulah que je connaissais était le prof de gym fou dans *Porky's*. Oui, Beulah Ballbriker, vous voyez?

Mes nouveaux copains blacks s'appelaient Valerie et Larry William. Valerie parlait d'une façon adorable. Elle roulait sa langue dans sa bouche et chaque mot était mélodieux. Elle avait l'accent du Sud et sa peau semblait aussi douce qu'un bonbon au caramel.

Ils m'ont raconté que leur fils avait été élève ici et, comme il jouait maintenant au basket en circuit professionnel, ils étaient venus en son honneur. J'ai toujours été intriguée par les couples qui restent ensemble si longtemps. Pourquoi, voilà trente ans, une femme avait-elle décidé de se réveiller tous les matins de sa vie à côté du même type? À regarder Valerie et Larry se caresser la main, j'aurais aimé être amoureuse comme eux. Mais tant que Nathan rôdait dans les parages, ce n'était qu'un vain rêve.

Ils étaient en train de me raconter comment Larry avait demandé la main de Valerie quand Nathan s'est laissé tomber à côté de moi. Il a flanqué son verre sur la table et s'est présenté. Sa cravate était de travers et il se léchait le coin de la bouche pour en retirer une trace d'houmous. À l'évidence, il était fin soûl et j'en ai eu soudain marre de son comportement. Pourquoi lui faire toujours plaisir, quand il avait de sérieux problèmes personnels à résoudre?

J'ai décidé que l'heure de la revanche avait sonné, mais j'étais désolée de prendre Valerie et Larry à parti.

— Salut, mon trésor, ai-je dit de ma plus belle voix d'épouse soumise.

— Nathan est mon mari, ai-je prévenu Valerie et Larry, mais vous ne pouvez pas le savoir, il refuse de porter une alliance.

— C'est pas vrai! s'est-il exclamé.

Nathan voulait dire par là qu'il n'était pas vrai que nous étions mariés. Mais il donnait l'impression qu'il parlait de l'alliance.

— Junior, c'est un manque de respect, a dit Larry.

Le pied! Larry s'adressait à Nathan en l'appelant « junior »! On se serait cru dans un reality show! Nathan s'est troublé. Je suis intervenue avant qu'il retrouve ses esprits :

— C'est vraiment dur. Nous sommes mariés depuis déjà deux ans et il refuse de mettre mon nom au bas des e-mails.

Rien que d'y penser m'a tiré une petite larme.

— Chelsea! a laissé échapper Nathan.

— Qui est cette fichue Chelsea?

— Désolé... Beulah.

Pour Larry et Valerie, il était clair que Nathan avait une liaison.

— Fiston, t'as besoin de te faire examiner, a prévenu Larry. Sans vouloir être irrespectueux, tu as un sacré petit bout de femme et si tu ne te réveilles pas pour lui faire des mamours, quelqu'un d'autre s'en chargera.

Inutile de dire que je buvais du petit-lait. Non seulement ce grand Noir prenait ma défense, mais il m'avait appelée « petit bout ».

Même Nathan n'a rien trouvé à rétorquer face au puissant Larry : un mètre quatre-vingts et des épaules de déménageur. Se rendant compte qu'il était perdant d'avance et que tenter de se défendre le ferait passer pour un con, Nathan a baissé les armes.

— Vous avez raison, a-t-il dit en penchant la tête, l'air penaud.

— Voilà qui est mieux.

— C'est difficile, elle travaille tellement, a ajouté Nathan en essayant de reprendre la main.

Mais je n'allais pas le laisser s'en tirer ainsi.

— Que faites-vous ? a demandé Val.

— Je m'occupe surtout d'aveugles. Et aussi de sourds.

Nathan s'est étranglé en crachant un peu de vodka.

— Vous voyez, il trouve ça drôle. Il se moque d'eux.

— Cela n'a rien d'amusant. Je ne... J'aimerais seulement qu'elle soit plus souvent à la maison.

— Je comprends, a compati Larry.

— Beulah, que faites-vous précisément pour les aveugles ? a demandé Val.

— Je les aide pour les courses de relais, ai-je répondu sans y penser.

Larry a engouffré un sushi tandis que Val me regardait d'un air réfléchi :

— Et vous, Nathan, de quoi vous occupez-vous ?

— De musiciens.

— À peine, suis-je intervenue. Il n'a qu'un groupe.

Ce qui était à moitié vrai mais ça l'a fait passer pour un con. Et, comme j'avais l'impression que Larry et Val ne croyaient pas à ma fable, il fallait que je reprenne le dessus.

— Désolé, mon chéri. Mais la façon dont tu essayes de gagner ta vie ne pose pas de problème. En revanche, ça coince quand nous sommes seuls. Il ne veut jamais me faire l'amour et quand il s'exécute... eh bien...

J'ai fait semblant d'hésiter à tout leur avouer.

— Continuez! a insisté Val.

Nathan n'allait pas se laisser faire.

— On n'arrête pas!

— Ouais, mais pas comme j'aime! ai-je rectifié en prenant un air de martyre. Il veut tout le temps me sodomiser.

Nathan a bondi sur ses pieds et s'est enfui, tandis que Val me regardait, horrifiée. Larry s'est pris la tête dans les mains.

— Je dois retrouver mon mari, j'ai dit en me levant.

Je me suis promenée quelques minutes à la recherche de David Stevenson. Je l'ai repéré près d'un buffet et je lui ai fait un signe de la main avant de m'avancer vers lui. Il a tourné les talons et s'est éloigné aussi sec.

J'ai retrouvé Nathan dans un coin. Il bavardait avec un vieux monsieur. J'ai sorti mon foulard que j'avais utilisé comme serviette et l'ai noué sur ma tête comme un chef indien. Je me suis approchée tranquillement de Nathan.

— Salut, chéri, à qui parles-tu?

— Je te présente le doyen Edwards, a répondu Nathan en me faisant comprendre que j'avais intérêt à la boucler.

Après deux minutes de conversation polie, j'en ai eu assez et j'ai sorti :

— Excusez-moi, messieurs, mais je dois aller chier.

Nathan m'a retrouvée près des toilettes et nous n'avons pu faire autrement que d'éclater de rire. J'en ai même fait pipi dans ma culotte. Ce qui ne m'était pas arrivé depuis des mois. Mais c'était à Las Vegas pendant mon sommeil, ça ne comptait pas.

Une semaine après la fête de l'école, j'ai été invitée à assister à un match de basket des Lakers par un nouveau mec. En me rendant à ma place, je suis tombée sur Larry.

— Bonjour, comment allez-vous ?

— Quelle surprise ! ai-je répondu. Votre fils joue contre les Lakers, c'est ça ?

— Oui. Vous êtes venue avec votre mari ? a-t-il demandé devant mon petit ami.

— Non, en fait...

Il y a eu un moment de silence embarrassant, puis j'ai repris :

— Nous sommes séparés.

Je me suis penchée vers Larry et je lui ai murmuré à l'oreille :

— Je crois qu'il est gay.

Larry m'a répondu en catimini :

— Je crois que vous avez raison.

J'ai présenté mon nouveau copain à Larry et à sa femme et, quand nous nous sommes éloignés, Val m'a embrassée en murmurant :

— Nous allons prier pour vous.

— Je vous en remercie.

Une fois assis, mon mec m'a dit :

— En voilà une nouvelle ! Depuis quand es-tu mariée ?

Revu et corrigé

C'était le jour de la Saint-Valentin et j'étais restée couchée avec mon fidèle compagnon, une bouteille de Grey Goose. Nous regardions un film dégoulinant de bons sentiments à la télévision : de quoi vous demander si les gens qui écrivent les scénarios de ces comédies romantiques peuvent dormir la nuit.

Chaque fois, c'est la même chose : soudain l'héroïne trébuche sur un obstacle aussi haut qu'une feuille et tombe. À ce moment, un type du genre Matthew McConaughey apparaît comme par enchantement pour la sauver ou, étant maladroit, tombe sur elle. Il est couru d'avance que tout cela mènera à leur premier baiser. Quelles conneries ! Moi, je tombe *tout* le temps. Vous savez qui me ramasse ? Le videur !

En deux heures de film, les deux protagonistes font connaissance, tombent amoureux, cessent d'être amoureux, se séparent et, juste avant la fin, ils se rencontrent absolument par hasard dans un lieu absurde comme le bord d'une rivière. Ça n'arrive jamais dans la vie. La dernière fois que je suis tombée sur un ex, il était trois heures du matin, j'étais dans une pharmacie ouverte nuit et jour. J'achetais un médicament antigaz et des pansements contre les cors au pied.

Généralement, j'aime célébrer la Saint-Valentin en me baladant en montgolfière au-dessus de Los Angeles pour repérer tous les immeubles dans lesquels je me suis envoyée en l'air. Cette fois-ci, je n'avais rien à fêter. J'avais été larguée par un mec qui avait des jambes plus fines que les miennes. Vous voyez à quoi ressemblent les pattes arrière d'un berger allemand? Les mollets de mon ex étaient kif-kif.

Je sortais avec mon proprio depuis neuf mois quand nous avons rompu. Il était propre sur lui, beau gosse, plutôt timide et incapable de faire du mal à une mouche. Il était propriétaire de deux immeubles : celui que j'habitais et celui d'à côté, où il vivait. J'avais fait sa connaissance en signant mon bail et appelé Ivory pour la mettre au courant.

— Je vais commencer à sortir avec mon propriétaire.

— Vraiment, il est bandant?

— Non, il a autre chose. Il est timide et il ne va pas être facile à conquérir. Je risque de lui faire peur. Mais je l'aurai à l'usure.

J'ai suivi ce plan. Je n'ai cessé de l'appeler au secours quand la veilleuse de mon fourneau à gaz n'a plus marché (car je l'avais éteinte) ou quand les portes coulissantes se sont coincées (après les avoir sorties de leurs gonds). Ensuite nous allions boire un café ou dîner ensemble. Après deux mois de ce genre de manœuvre sans résultat positif, je l'ai affronté :

— Écoute, mon propriétaire chéri, qu'est-ce qui se passe? On va commencer à se fréquenter, oui ou non?

Tu me plais et je ne vois personne d'autre. Tu sais pourquoi je sors avec toi ? Pour que tu me la mettes ! Laisse-moi te dire que tout ça me fatigue.

Je ne m'étais jamais donné autant de mal pour avoir un mec. J'ai fini par un ultimatum :

— Soit on se met ensemble, soit je disparais.

— Je vais y réfléchir.

Deux jours plus tard, il est venu à l'un de mes spectacles comiques.

— Tu veux venir chez moi ? a-t-il demandé en me raccompagnant.

— Oui !

Pour la première fois depuis ma puberté, j'ai fait des bonds sur le trottoir.

Mon proprio avait la voix douce et nous nous sommes très bien entendus – tout en ne cessant de nous disputer. Je n'avais jamais connu un type pareil. Ultra-conservateur, peu sûr de lui, il regrettait les décisions qu'il prenait. Mais il était à la fois attentionné, amusant et excellent en maths. Il voulait être tout le temps avec moi, ce qui aurait dû m'exaspérer.

Nous étions différents en tous points. Il achetait des fringues, des appareils ménagers, des fournitures pour l'immeuble et les échangeait immédiatement. Ça me rendait folle. J'ignorais que les hommes pouvaient être aussi indécis. Je n'avais jamais échangé quoi que ce soit de ma vie. Si, rentrant à la maison, je n'aimais plus ce que j'avais acheté, j'en faisais cadeau à une œuvre de charité.

Chez lui, le thermostat était toujours à 28 °C. Je me réveillais au milieu de la nuit en eau et me levais en douce pour le baisser. Le lendemain, il se plaignait d'être frigorifié et d'avoir mal à la gorge. Un matin, je me suis aperçue qu'il avait enfilé un bonnet de ski! Vraiment de quoi pleurer!

Ses pires défauts? Ses jambes maigrelettes et l'impression que, si nous nous bagarrions, j'aurais le dessus. Au lit, il se nichait si fort contre moi que, lorsque je me levais pour aller chercher un verre d'eau, il s'accrochait encore à moi comme un bébé orang-outang.

Ce n'est pas notre rupture qui m'a tellement blessée. Mais le fait d'avoir été prise de court. J'avais prévu de le larguer, mais j'avais retardé le moment fatidique pour ne pas lui causer trop de peine! Tout ça pour rentrer d'un week-end de ski à Aspen et me retrouver larguée. Une défaite sur toute la ligne! Pour une fois que je m'étais montrée charitable, ça ne m'avait pas réussi! J'étais bien consciente que notre liaison ne durerait pas cent sept ans, puisqu'il nous était impossible d'être vus ensemble en bermuda. Pourtant je gardais l'espoir secret qu'un remède pour grossir les mollets serait mis au point rapidement.

Bref, deux mois après la rupture, je n'avais toujours pas la forme.

On était donc le jour de la Saint-Valentin quand Ivory m'a téléphoné pour me dire qu'on donnait un bal costumé et que ma présence était requise.

— Ça se passe dans un entrepôt du bas de la ville et l'on récoltera des fonds pour les enfants handicapés.

Ainsi, après tant d'années, mes bobards devenaient vrais. Je n'avais nulle envie de quitter mon lit, mais il fallait que je me remue pour ces gosses.

— On se retrouve au Compound pour préparer l'avant-soirée, a précisé Ivory.

Le Compound occupait l'immeuble où Lydia vivait avec tous ses copains dégénérés. Genre haut de gamme, mais sans piscine ni milliardaire. Un endroit parfait pour donner des fêtes, mais personne avec qui s'y réveiller. Lydia et ses voisins avaient tous couché ensemble au moins une fois. On aurait dit le film *La Ronde*.

— J'ai rien de drôle à me mettre ! ai-je gémi.

— On te goupillera quelque chose.

Quelques mois auparavant, ai-je rappelé à Ivory, nous avions été à une fête pour Halloween déguisées en supergouines, avec des perruques noires, d'immenses jeans Levi's, des portefeuilles enchaînés et des ceintures de cow-boys. Nos longs tee-shirts proclamaient « Tous pour Bush » et « Bush en tête ». Hélas, comme la fête avait lieu après l'invasion de l'Irak, les gens ont cru que nous étions pour le président, alors qu'on faisait de la pub pour nos foufounes [1] !

Cette nuit-là, j'ai appris qu'il ne faisait pas bon soutenir George W. Bush en Californie ni porter des costumes grotesques. Alors que nous avions une chance de nous envoyer en l'air, nous avons raté notre coup. Nous avons été mises en quarantaine. Même nos amies proches étaient gênées d'être vues en notre compagnie. Ivory et moi avons passé la soirée dans un coin, à nous regarder en chiens de faïence. Seul le videur nous a adressé la parole : pour nous annoncer que le bar allait fermer.

---

1. Jeu de mots sur Bush, foufoune et nom du président.

— Ah! oui, j'avais oublié ça, a ajouté Ivory. Va louer un déguisement.

— Impossible, Bobby et Whitney passent dans dix minutes dans les « Histoires vraies de Hollywwod ».

Un peu plus tard, Ivory m'a rappelée pour m'annoncer que Jen, sa colocataire, avait un costume de djinn en trop avec un bustier excitant.

— Le pantalon est transparent, alors mets une vraie culotte.

— Je n'en ai pas. J'ai juste un panty que je mets quand j'ai mes ragnagnas.

— De quelle couleur?

— Rouge. Pas à cause de mes règles, rouge tout simplement.

C'était une sorte de gaine en nylon qui aplatit le ventre quand on est gonflée. Pas le genre que j'avais envie de montrer en public. En fait, personne au-dessous de soixante ans ne porte ce genre d'horreur.

— Personne ne le verra, il fera sombre et c'est juste pour te couvrir les fesses. Ou bien mets un bas de maillot de bain.

— Le pantalon est de quelle couleur?

— Chelsea, arrête ton cirque. Ramène-toi chez Lydia à huit heures et on se changera là-bas.

Se garer chez Lydia étant un cauchemar, j'ai appelé Holden qui habite tout près pour me parquer dans son garage. Nous les filles, on adore Holden. Il est gentil et nous sommes amis depuis des années. Son seul défaut : il souffre de pertes d'attention. Il vous pose une question et vous interrompt au milieu de la réponse pour vous en poser une autre. Cette mauvaise habitude est très désagréable quand on est fâché avec lui – l'occasion de scènes de rupture dramatiques où ses petites amies balançaient par les fenêtres fringues et meubles. Ça ne gêne pas Holden de se faire engueuler, car il n'écoute pas de toute façon.

Il n'était pas au courant de la fête déguisée – n'ayant pas dû faire attention quand on l'avait invité –, je l'ai donc invité à nouveau. Il n'avait pas de costume. Je lui ai suggéré d'enfiler l'une de ses tenues de plongée. Propriétaire d'une affaire de vêtements de plage, il vend aussi bien des bouteilles de plongée que des planches de surf. Son équipement personnel ne quitte pas son appartement : je l'emprunte souvent quand j'ai envie de faire de la plongée.

En arrivant chez Lydia, les trois filles étaient déjà prêtes : Ivory en écolière coquine, Lydia en flic aguicheur, Jen en Smarties.

Le costume de djinn était mignon et m'allait parfaitement. Dès que Jen m'a vue, j'ai lu dans son regard : « Enlève-le, je veux le mettre à ta place ! »

— Chelsea, j'ai une idée, si on échangeait ?

— Mais non, restons comme ça. Tu aimes le chocolat.

— J'y tiens absolument, a-t-elle répété avec le sourire imbécile des pom-pom girls qu'on lance en l'air. Je te l'ai apporté, mais il m'appartient.

J'ai essayé le costume Smarties. Le haut avait la forme d'une citrouille verte qui me donnait l'air d'un bibendum. Le collant assorti couvrait mon panty rouge règles. Je ne suis pas entrée dans les chaussures de Jen qui allaient avec l'ensemble ni dans celles de Lydia.

Seules les chaussures que je portais en venant étaient confortables. Des baskets noires Adidas ! Ce serait mon déguisement.

— Prête-moi ton panty, a réclamé Jen en se regardant dans un miroir en pied.

Sur son string léopard, son collant était parfaitement transparent.

— Je ne te donnerai pas mon panty, et d'ailleurs arrête d'utiliser ce mot.

Je ne peux pas blairer trois mots : panty, moite et rusé. Des mots qui sentent le pédophile.

— Tu dois me le prêter, a encore insisté Jen, sinon, je ne peux pas mettre mon string !

— D'ac' ! ai-je dit en tirant la gueule et en remettant mon collant.

— Tu ne veux pas une culotte ? s'est inquiétée Lydia.

— Non, je prends le risque.

Je n'ai pas l'habitude d'emprunter les dessous des filles. Comment Jen pouvait-elle porter les miens ? Mystère.

— Tu veux peindre ta tête en vert ? a demandé Jen.

— Non merci !

Je lui ai jeté un sale coup d'œil.

Il ne faut pas confondre être facile à **vivre** et être poire. Accepter que Jen me peigne la tête relevait de la seconde catégorie.

— Quel est le problème ? a demandé Jen. **Tu es** superbe.

On aurait dit qu'elle s'adressait à une fille qui aurait assisté à son premier bal dans un fauteuil roulant.

Holden s'est dandiné vers moi. Il avait une tenue de plongée et un masque.

— Nous allons rester ensemble ce soir, ai-je dit.

La fête ne manquait pas de possibilités, mais j'étais d'une humeur de chien. Je me suis assise dans un coin avec Holden et nous avons déblatéré sur les costumes des gens. Quand on en a eu assez, je me suis moquée de Holden qui transpirait tellement qu'il avait enlevé le haut et restait torse nu.

À la fin de la soirée, Lydia nous a invités à terminer la nuit chez un type déguisé en Batman. J'ai accepté, son appartement était tout proche de celui de Lydia. Vraiment commode !

En approchant de l'immeuble, j'ai vaguement reconnu l'endroit. Plusieurs immeubles de Santa Monica se ressemblent. J'ai pensé que je les avais confondus. En nous entassant dans l'appartement, moi, Ivory, Jen, Lydia, Holden, j'ai regardé un peu partout et mes soupçons se sont confirmés. Je n'oublie jamais un appart. Un visage, oui, mais un appart, non. J'ai dévisagé Batman, mais il ne me rappelait personne.

— Depuis combien de temps habites-tu ici ? ai-je demandé en vérifiant mes e-mail sur son ordinateur.

— Environ dix ans.

— Tu me reconnais ?

Il m'a offert une bière et je me suis assise dans mon beau costume Smarties. J'ai cliqué sur le site d'Oprah pour connaître le titre du livre qu'elle avait choisi pour sa prochaine émission.

— Pas vraiment, a répondu Batman. Comment t'appelles-tu ?

— Chelsea.

— Non. On s'est peut-être croisés.

Comme la soirée traînait en longueur, je suis allée dans la cuisine me préparer des nouilles chinoises. Hélas, j'ai dû manger dans la casserole avec des baguettes car, vu l'état des lieux, la vaisselle ne m'inspirait pas confiance. Allongées sur un divan, les filles écoutaient de la musique. J'étais fatiguée. Je leur ai rappelé qu'il ne se passait jamais rien de génial après deux heures du matin.

Batman m'a regardée d'un air diabolique.

— C'est faux !

Je n'ai pas aimé son ton et j'ai quitté la pièce. Dans sa chambre, j'ai trouvé une console Nintendo branchée sur sa télé. Je n'en avais pas vue depuis mes années de lycée ! Ensuite Play Station avait pris le relais. J'étais aussi excitée que si J. Lo venait de sortir un nouvel album.

J'en étais au niveau quatre des Super Mario Bros, quand Ivory est venue m'avertir que ça collait entre Batman et Jen.

— Impossible, je crois que j'ai déjà couché avec lui.

— T'es sûre ?

— Non, mais sa tête me dit quelque chose.

Ivory est allée chercher Lydia. Plantées derrière moi, les bras croisés, elles m'ont regardé jouer.

— Alors, oui ou non ? a interrogé Ivory.

— Je ne sais plus, mais je suis certaine d'être venue ici. Et généralement je ne passe pas la nuit chez un inconnu sans coucher avec lui.

À ce moment Batman est entré, un morceau de hash dans la main, en nous demandant si ça nous intéressait.

— T'es sérieux ? ai-je dit.

L'idée de fumer un joint était aussi excitante que d'assister à un concert de Michael Bolton.

— Qui en veut ? a voulu savoir Lydia.

— Minute, papillon ! me suis-je exclamée. Je sais où je t'ai déjà vu.

La mémoire m'était revenue quand il m'avait proposé du hash. J'étais venue au Compound pour une fête tard dans la nuit et Batman y assistait. À l'époque, il habitait à un kilomètre de chez moi , et nous avions pris un taxi ensemble. Quand il s'était fait déposer chez lui, j'étais tellement ivre que j'étais descendue aussi. Et lui ne m'avait rien dit. À peine avais-je compris que j'étais chez lui, qu'il avait essayé de m'embrasser. Je l'avais remis à sa place en lui disant : « Au lieu de me rouler une pelle, apporte-moi une compresse d'eau froide, un ventilateur et un oreiller. »

— J'ai roupillé ici, voilà deux ans, ça te revient ? J'ai dormi sur ton divan. J'étais dans un piteux état.

— Ah... oui ! T'étais vraiment partie.

— Bon sang, comme c'est marrant ! a dit Lydia. Et moi, j'étais où ?

— Tu devais sortir avec Haleine Fétide.

— Et alors, ça marché ? a demandé Ivory.

— Non, je n'ai fait que dormir.

La pure vérité : on n'avait pas baisé. Soudain, j'ai été très fière de moi d'avoir passé la nuit chez un mec sans me faire sauter. Comme si j'étais devenue d'un seul coup la fille la plus mûre du groupe. Je me suis dit qu'à l'avenir je leur montrerais comment tenir tête aux mecs.

— T'as nettoyé mon appartement, non ? a demandé Batman.

— Et comment.

En me réveillant le lendemain, je m'étais aperçue de la crasse dans laquelle ce type vivait. Je ne suis pas une obsédée de la propreté et, si j'avais tout nettoyé, c'est qu'il y avait urgence. Je me suis souvenue qu'il y avait des tranches de bidoche collées sur un mur.

— Comment, deux ans après, t'es-tu souvenue d'avoir couché ici ? a demandé Ivory.

— Ce soir-là, il m'a aussi proposé du hash et ça ne m'est arrivé que deux fois dans ma vie.

— Je n'arrive pas à croire que tu n'aies pas couché avec lui ! s'est exclamé Lydia.

— Parfois, ai-je dit en le prenant de haut, il faut savoir faire des choix.

— Arrête, ma conne, a commenté Ivory.

— Et maintenant on se tire, ou Jen veut se faire sauter ?

— Ouais, on se tire, m'a soutenue Lydia. Tu veux dormir chez moi ?

Holden, Ivory, Lydia et moi avons appelé un taxi. Jen est restée. On s'est fait déposer au Compound et Ivory un peu plus loin. Holden est rentré chez lui à pied.

— Je viendrai récupérer ma voiture demain.

Des gens continuaient à faire la fête au Compound. La sono crachait à fond et des inconnus dansaient dans la cour.

J'ai dit à Lydia :

— Je vais me coucher. Donne-moi les clés.

Elle a fouillé dans son sac suffisamment longtemps pour comprendre qu'elle ne les trouverait jamais.

— Oh, merde ! j'ai dû les laisser chez Batman ou les perdre dans le taxi. Enfin, on va bien se débrouiller.

Gary, son voisin, est venu nous dire bonsoir. Il portait une tenue de cow-boy et un chapeau assorti, qu'il a rejeté en arrière.

— Ça ne va pas ?

— Lydia a perdu les clés de chez elle.

— Ma porte est ouverte. Viens dormir chez moi. Je prendrai le divan.

— Merci, c'est ultrasympa.

Ne connaissant ni Gary ni son sens de l'hygiène, j'ai décidé de garder mon costume de Smarties. Au cas où il y aurait des punaises.

Je me suis effondrée. Je me rappelle seulement que Lydia est venue me rejoindre un peu plus tard, suivie par quelqu'un d'autre qui s'est glissé entre nous.

Le lendemain, vers sept heures, j'ai été réveillée par des gloussements provenant de la salle de bains. À l'évidence deux personnes en train de se peloter.

J'ai entendu ensuite des bruits de chute d'objets de toilette.

— Oh, mon Dieu ! GAAAARY ! Oui... ! Encore... Plus haut ! Mon Dieu ! glapissait Lydia.

Pas besoin de me regarder dans la glace pour savoir que je ressemblais à une fille laissée pour compte sur une île déserte.

J'ai roulé en bas du lit, et, me retrouvant par terre, j'ai rampé comme si j'essuyais le feu ennemi. À peine étais-je sortie de la maison que je me suis rendu compte que j'avais oublié mon portable, mon sac et mes chaussures. J'ai essayé d'ouvrir la porte : fermée à clé ! J'ai frappé, mais personne n'a répondu.

Regardant autour de moi à la recherche du moindre signe de vie, j'ai réalisé que j'avais retiré mes verres de contact au milieu de la nuit. Ma vision s'arrêtait au bout six mètres. Au-delà, c'était le flou complet. Oh, bordel! J'ai fait les cent pas en me demandant ce que j'allais devenir, quand je me suis souvenue que ma voiture était garée chez Holden.

Il suffisait donc que je marche un kilomètre jusque chez lui, déguisée en Smarties. Fastoche, non? J'ai essayé une dernière fois qu'ils viennent m'ouvrir, mais que dalle. Dans l'appartement, Lydia continuait à jouir bruyamment. Au point que j'ai cru que j'allais être malade. Quelle horreur! Comment avait-elle pu se laisser sauter, alors que j'étais à quelques mètres d'elle. Nous n'étions plus des collégiennes!

Qu'une de vos copines gémisse le nom de son amant sous votre nez, c'est aussi nul que de voir ses parents s'envoyer en l'air. Je le sais, car j'ai eu la chance d'en faire l'expérience.

Enfin, je n'avais pas le choix. J'ai démarré un sprint en direction de chez Holden. J'ai tout de suite heurté un truc et j'ai continué en boitant.

Une femme promenant son chien (enfin, c'est ce que j'ai cru voir) a préféré changer de trottoir en arrivant à mon niveau. Un type au volant de sa voiture a ralenti pour me crier : « Une nuit difficile? » Que d'humiliations! Je n'étais jamais sortie aussi tôt et, vous savez quoi? je n'ai pas aimé l'atmosphère ambiante.

Se balader costumée en Smarties le jour de Halloween ou même le lendemain, passe encore, mais en plein mois de février, ça fait désordre. Comble du comble, à chaque pas, mon haut en gros coton se soulevait pour découvrir mes fesses. Je devais le retenir d'une main. En plus, j'avais une monstrueuse envie de faire pipi.

210

En arrivant devant la maison de Holden, j'ai jeté des cailloux contre sa porte vitrée en hurlant : « Holden ! »

— Parlez moins fort ! a lancé un voisin avant de sortir sur son balcon. Dites... vous avez envie que j'appelle la police ?

— Faites donc ! Et dites-leur qu'un Smarties s'est échappé de sa boîte.

Il a secoué la tête et a disparu chez lui.

Après une éternité, Holden a enfin émergé en se frottant les yeux. En me voyant, il a éclaté de rire.

— Descends me chercher, je t'en prie !

Il a continué à rire et à se tenir les côtes. À en devenir écarlate.

— Eh, ducon, tu pourras rire tant que tu voudras, quand je ne ferai plus le poireau dans la rue.

Il est rentré pour ressortir trente secondes plus tard, un appareil photo à la main. Il a pris trois clichés de moi – vous imaginez ma bobine – lorsqu'un autre voisin a passé une tête dehors.

— Ça suffit ! Toi et ta petite amie, calmez-vous !

Aussitôt, Holden a retrouvé ses esprits. Il s'est rappelé qu'il devait m'ouvrir.

— Je ne suis pas sa petite amie ! ai-je crié.

Holden m'a fait entrer. J'ai fait pipi pendant au moins cinq minutes. Mon costume était atroce et le collant me démangeait.

— Raccompagne-moi chez moi. Je peux passer par la fenêtre de la cuisine.

J'avais mon compte d'humiliations. J'avais envie d'être dans mon lit. Il était également temps de réfléchir à mon avenir.

Nous sommes arrivées à mon appartement vers huit heures et quart. J'ai demandé à Holden de rester au cas où je n'arriverais pas à entrer. Pourtant ce devait être facile : j'habite au rez-de-chaussée et je n'avais qu'à pousser la fenêtre et me glisser à l'intérieur. J'ai composé le code de la grille.

La fenêtre était plus haute que je ne le pensais. J'ai regardé nerveusement autour de moi. C'était la première fois que je tentais un truc pareil. Je savais que c'était possible, Lydia l'avait déjà fait, mais on l'avait aidée. Au lieu d'aller chercher Holden, j'ai essayé toute seule. La fenêtre n'était pas fermée à clé, mais j'ai dû me lever sur la pointe des pieds pour me faufiler. J'avais passé le haut du corps quand mon costume s'est coincé. L'armature en fil de fer refusait de céder. Soit je devais l'enlever par la tête, soit redescendre. Si je le retirais, je pourrais entrer – j'avais fait la moitié du chemin. J'ai réussi à me tortiller pour m'en débarrasser.

À cet instant quelqu'un a franchi la grille de la cour. Les pas se sont rapprochés puis se sont arrêtés. Je ne portais plus qu'un collant vert, pas de culotte et j'avais la tête dans l'évier.

— Holden, si tu prends une photo...

— Je ne suis pas Holden, a fait mon ex-le propriétaire.

Merde, trois fois merde. Qu'avais-je donc fait au Ciel ?

— Tu as besoin d'un coup de main ?

— Non merci, tout va bien, ai-je dit, très décontractée.

Comme si c'était ma façon habituelle de rentrer chez moi.

Il a poussé un lourd soupir en agitant ses clés. Il a ouvert ma porte, pénétré dans la cuisine et m'a tirée à l'intérieur. En atterrissant, je me suis agenouillée pour cacher mon soutien-gorge et ma foufoune parfaitement visible à travers mon collant. Il est allé récupérer le haut de mon déguisement et l'a déposé à côté de moi.

Sans me dire un mot, il est resté là à me regarder d'un air calme et incrédule.

— Ce n'est pas ce que tu crois..., ai-je commencé.

J'aurais voulu lui dire que, malgré les apparences, j'avais été très sage et n'avais couché avec personne. Au contraire, il devrait me féliciter d'avoir voulu rentrer chez moi par tous les moyens. J'aurais aimé tout lui expliquer, mais, à voir sa tête, j'ai compris que ce serait impossible. Je n'arriverais qu'à me tourner en ridicule.

— Laisse tomber !

Il a pris une serviette dans la salle de bains, l'a posée près de moi. Avant de partir.

Assise sur le sol de la cuisine, je me suis demandé quelle sorte d'amies j'avais. Et si j'allais un jour trouver un mari ? Au bout d'une heure, j'ai décidé d'arrêter de pleurer sur mon sort.

Autant voir le bon côté des choses, non ? Je venais de passer une seconde nuit dans le lit d'un inconnu sans le toucher. Il ne fallait pas être Einstein pour pressentir qu'une nouvelle vie commençait.

Fausse alerte

Je m'étais fait engager ainsi que Shoniqua dans une émission de télé. En réalité, on nous payait pour faire les idiotes, ce que nous adorions.

Dans l'avion pour San Francisco, où nous devions tourner pendant trois jours, je lui ai raconté combien je m'étais sentie humiliée quand mon ex m'avait trouvée les fesses à l'air.

— Écoute, ma salope, il va falloir que tu changes, m'a-t-elle dit au moment où une hôtesse nous proposait des cacahuètes chaudes.

Elle s'est tournée vers l'hôtesse de l'air.

— Tu l'entends, cette pétasse ? Se déguiser comme pour Halloween au milieu de l'hiver et courir dans la rue cul nu, tu imagines ?

L'hôtesse a souri à Shoniqua, puis m'a regardée en fronçant les sourcils.

— Parle moins fort, ai-je murmuré à Shoniqua. Inutile de me dire que j'ai été conne, je le sais. L'ennui, c'est que mon propriétaire croit que j'ai couché à gauche et à droite depuis notre rupture, mais c'est faux.

— Oublie-le ! De toute façon, c'était un mollasson. Il te méritait pas et je me fous de ce qu'il pense.

— Merci beaucoup.

— Dis-moi, mon petit cul blanc, quand vas-tu te rendre compte que tu es devenue adulte ?

C'était la première fois qu'on me traitait d'adulte. Ça m'a fichu les boules. Je croyais encore être une gamine.

— Ce qui veut dire ?

— J'en sais rien. Tu ne veux pas te marier ?

— Si, bien sûr, mais ça m'interdirait de sortir et de m'amuser ? Au fait, et c'est une grande nouvelle, personne n'a envie de m'épouser.

— Tu aimes trop les hommes, voilà le problème. T'es comme un mec.

— Tu sais ? Je préfère aimer les mecs que faire tapisserie en râlant contre eux, comme la moitié de mes copines. Tu préférerais que je fasse la gueule en traitant tous les mecs d'ordures comme à peu près tout le monde à Los Angeles ? Me suis-je plainte une seule fois de ma solitude ? Ai-je annoncé que j'allais laisser tomber ? Hein ? Réponds !

J'avais commencé à crier et les larmes me montaient aux yeux.

— Bon, fais pas chier à pleurer. Il est évident que tu dois te faire sauter ce week-end et je vais m'en occuper dès l'arrivée.

— Merci, ai-je dit, soudain soulagée.

L'hôtesse s'est approchée de nous en tirant une tronche et nous a demandé de parler moins fort.

— Navré, j'ai dit, mais elle sort de prison.

Shoniqua lui a fait un geste obscène et elle s'est carapatée.

215

À San Francisco, on nous a conduites à l'hôtel W où toute l'équipe de tournage était logée. En général, on se déplaçait avec quatre ou cinq producteurs, le réalisateur et deux stylistes.

Comme on travaillait quatorze heures de suite, il ne s'est rien passé pendant trois jours.

Le dernier jour, on a arrêté de tourner de bonne heure, vers cinq heures de l'après-midi et on s'est tous retrouvés au bar du W. La bande voulait dîner dehors, mais j'étais fatiguée et j'ai prévenu Shoniqua que je ne sortirais pas.

Ces longues journées m'avaient crevée et je voulais dormir. Car je me donnais à fond dans mon boulot, aussi bien physiquement que mentalement. J'ai annoncé à tout le monde que je ne dînerais pas, quand Jeff, notre producteur délégué, nous a annoncé qu'un de ses amis de San Francisco allait venir nous chercher.

— C'est un beau mec, Chelsea, a-t-il précisé. Il est procureur, il a une maison et un bateau et il va te plaire. Allez, viens.

Cette manie de vous énumérer les biens matériels des gens qu'on veut vous présenter ! J'ai failli demander à Jeff si son pote avait aussi un four à micro-ondes, mais j'étais trop fatiguée.

— Non, j'ai dit à Jeff, je serais incapable d'ouvrir la bouche.

— Écoute, ma salope, la parlotte c'est mon rayon, est intervenue Shoniqua. Tu devrais venir. Moi aussi je suis crevée, mais qui sait ce qui va se passer.

Typique de Shoniqua !

Je n'ai pas eu l'air convaincue.

Fausse alerte

— Écoute, *moi*, je suis mariée, mais je n'ai pas envie que tu rates l'occasion de te faire *mettre*. Surtout s'il est du genre épousable.

Que Jeff, avec ses manières d'homme des cavernes, puisse avoir un copain mariable était aussi plausible que de voir Paris Hilton remporter un prix d'orthographe. Jeff n'avait que deux sujets de conversation : la zoophilie et l'inceste. Ce soir-là, il glosait sur une nouvelle mode qui sévissait en Californie : se faire blanchir le trou du cul. J'ai filé aux toilettes. Depuis trois jours, j'avais trop bouffé et je n'avais pas fait de gymnastique. Il fallait absolument que je vérifie mon tour de taille. Je me suis plantée devant un miroir en pied et j'ai soulevé ma jupe.

Bordel ! On aurait dit que j'attendais un enfant. Un bon trois-quatre mois de grossesse. Je me suis mise de profil : j'en étais à six mois. J'ai réfléchi à des prénoms. Lucifer m'a plu, mais seulement pour une fille. Je suis dotée d'une anatomie de latino : quand je grossis, c'est seulement du haut ! Mon estomac commençait à déborder sur mon jean. Encore un peu et j'aurais tout d'un camionneur gras du bide. J'ai inspecté mon image une nouvelle fois. On aurait dit deux allumettes surmontées d'une pomme de terre au four.

— Beurk ! me suis-je exclamée toute seule.

Une femme est sortie d'un cabinet.

— Vous avez vu un truc pareil ?

— Vous avez vos règles régulièrement ?

— Je l'espère.

— Oh, ce n'est que de l'eau, alors.

Impossible. Je mets un point d'honneur à ne jamais boire d'eau pure. En plus, je pouvais deviner le contour du cheeseburger que je m'étais tapé en guise de goûter. Dès mon retour à Los Angeles, il faudrait que je me procure un vélo d'appartement.

En revenant au bar, j'ai dit à Shoniqua que j'étais trop grosse et pas du tout d'humeur à rencontrer mon futur époux.

— Une autre fois, j'ai ajouté.

À ce moment, Carter a fait son entrée. Un seul coup d'œil m'a suffi pour claironner :

— On arrive !

La première chose qui m'a plu chez lui, c'est qu'il portait un costume. J'adore les hommes en costard. Surtout s'ils ont retiré leur veste. Ça me rappelle les bars des restaurants chics où l'on va après le boulot. Huit ans de vie à Los Angeles où vous croisez des mecs en flip-flop et jogging au milieu de l'après-midi vous font respecter un type qui a un vrai job.

Carter était adorable, un mètre quatre-vingts et tout sourires. Il nous a embrassés l'un après l'autre et nous a fait monter dans sa Yukon. J'aime les hommes qui ont de grosses voitures. En prenant place à l'arrière, Shoniqua a enfoncé son index dans ma cuisse.

— Tu vois, je ne me suis pas gourée ! Tu as de la chance de m'avoir pour amie, car aucune de tes copines blanches ne se décarcasserait pour toi.

Nous sommes allés dîner dans un restaurant tex-mex. J'aurais bien aimé m'asseoir en face de Carter, mais je me suis retrouvée coincée entre deux inconnus. Heureusement, Shoniqua s'est incrustée à côté de lui. J'étais donc parée.

Mon dîner s'est passé à me battre avec deux enchiladas tout en écoutant une assistante de production me parler de ses démarches pour retrouver ses parents naturels. Si je suis fascinée par les histoires d'adoption, c'est que j'ai mes raisons. Je suis convaincue que Sloane a été adoptée et je me suis bagarrée pour le prouver. En vain. J'ai cru approcher du but quand un avocat, qui ne travaillait que sur le Web à vingt-cinq dollars le mail, m'a affirmé que ma sœur aux yeux bleus et à la peau très blanche était d'origine créole.

Après le dîner, nous sommes retournés au bar de l'hôtel pour nous taper quelques verres. Deux membres de notre groupe étant allés se coucher, nous nous sommes retrouvés à cinq. Carter et moi avons pris place dans des fauteuils club ultramoelleux, tandis que les autres envahissaient un divan. Je terminais ma conversation sur l'adoption quand j'ai entendu qu'on parlait de complots.

Il y a deux sujets de conversation que j'adore un max : les histoires de complot et Jennifer Lopez. J'ai tourné la tête si vite que j'en ai perdu mes verres de contact.

Carter discutait de la mort de Kennedy. J'ai attendu le moment propice pour intervenir.

— Kennedy, c'est bien, mais parlons plutôt de Biggie Small et de Tupac, ces deux rappeurs assassinés ! Ce jour-là, on était pas dans la merde !

Silence gêné de deux secondes, avant que Shoniqua ne vienne en renfort.

— T'as raison, Chelsea. Parlons-en !

Grâce à mon intervention, on a eu droit à une discussion générale, tout le monde y a mis son grain de sel. Ce n'était pas la première fois que je permettais à plusieurs personnes d'entrer en relation. En voilà une bonne idée ! Il faudrait que je songe à me mettre présidente d'un comité qui réunirait les chômeurs qui ne veulent plus travailler en entreprise.

Shoniqua a déclaré qu'elle partait se coucher. Du regard, je lui ai intimé l'ordre de rester. Se penchant vers moi pour m'embrasser, elle a murmuré :

— C'est une affaire qui marche ! Ne le laisse pas filer !

Dès qu'elle a dégagé, on s'est tournés l'un vers l'autre. Tout en continuant à bavarder, Carter a posé sa main sur ma jambe. En retour, et en signe d'affection, je lui donnais des tapes dans le dos quand quelqu'un disait un truc drôle.

Il m'a dit qu'il poursuivait les terroristes.

— Réellement ? Vous travaillez en étroite collaboration avec le président Bush ?

— Je le connais, mais je suis surtout en rapport avec ses collaborateurs.

— C'est vrai que tout le monde se fiche de lui dès qu'il a tourné les talons ou est-ce fait plus discrètement ?

Carter m'a souri.

— Non, je n'ai jamais vu quelqu'un se moquer de lui, mais parfois on se regarde en levant les sourcils.

— Minute ! Tu es républicain ?

— Je suis inscrit au parti républicain, mais je ne vote pas toujours dans ce sens.

— Passionnant, vraiment passionnant.

Je me suis vue déjà épousant Carter et passant mon temps libre en compagnie de Colin Powell et de Donald

Rumsfeld au bar du Pentagone. Je leur demanderais comment ils pouvaient s'opposer aux recherches sur les cellules souche, alors qu'ils n'interdisaient pas les moustaches en guidon de vélo.

Je les convaincrais d'accorder les mêmes droits aux couples homosexuels. Je leur parlerais de mon plan de retraite que je n'avais pas commencé à financer pour voir s'ils pouvaient m'arranger le coup. Il y avait des tas de causes à défendre à Washington et je m'assurerais que les voix des minorités soient entendues. Je serais la nouvelle Jackie, mais en jean.

Carter m'a paru beaucoup plus digne de respect et j'ai eu envie d'entamer une liaison sérieuse avec lui. Cela, ajouté au fait que dans une récente émission d'Oprah un médecin avait déclaré que, plus on baisait, mieux on se portait, m'a fait prendre ma décision.

Je me suis levée et j'ai annoncé :

— Écoutez, je suis crevée. Je monte dans ma chambre. Carter, tu veux te joindre à moi pour un dernier verre ?

— Bien sûr, a-t-il répondu en bondissant sur ses pieds.

Nous nous sommes arrêtés à la réception avant de prendre l'ascenseur.

— Veuillez faire monter des glaçons au 1202, je vous prie.

— Certainement.

Juste avant d'entrer dans la cabine, je suis retournée en courant à la réception.

— Auriez-vous des préservatifs ?

— Mais bien sûr, a répondu le préposé. Je vous les fais monter immédiatement.

— Fastoche, ai-je dit à Carter en montant avec lui.

Comme nous n'étions pas seuls dans la cabine, nous avons attendu d'être dans ma chambre pour nous embrasser. En fait, Carter a commencé par vider le minibar.

Un divan occupait tout un mur. On s'est assis là, le temps qu'il me verse de la vodka tiède et du soda et qu'il se prépare un gin-tonic. Puis il a pris dans le réfrigérateur une bouteille d'eau minérale à seize dollars et l'a sifflée.

— Ça va? j'ai demandé.

— Oui, mais je mourais de soif.

— Ouais, j'ai vu ça.

— Au fait, c'est toi qui dois payer les consommations?

— Non, ne t'inquiète pas. Tu peux même avoir des cacahuètes.

— Inutile.

Nous nous sommes pelotés un peu, mais sans entrain. Entre nous, le courant ne passait pas comme je l'avais espéré. Il avait du mal à se détendre. Il ne cessait de se lever et de se rasseoir. Bien qu'il soit toujours charmant, son attitude me déroutait. On a frappé à la porte. Après avoir donné un pourboire au garçon, il a pris le seau à glace et ce qui ressemblait à un étui à lunettes.

— C'est quoi?

Il l'a ouvert. Trois capotes étaient sagement alignées comme des magazines chez le docteur.

— C'est toi qui les as commandées?

— Quoi, ce sont de vraies capotes? Dis-moi, quel service dans cet hôtel!

J'ai allumé la radio. Dans la salle de bains où j'ai voulu me refaire une beauté, j'ai inspecté mon bide. Pas formidable, mais la silhouette de Carter n'était pas au top non plus. Son tour de taille accusait quelques excédents. Il avait le physique d'un joueur de football qui n'aurait pas joué depuis des années.

Je me suis brossé les dents avant de retourner dans la chambre. Carter était toujours assis dans le divan. Il avait un petit mouvement de lèvres qui m'a rappelé une mimique de Nathan lorsqu'il était chargé de dope. Cela voulait dire deux choses : soit il avait un cheveu dans la bouche, soit il prenait de la coke. Ce qui ne m'a pas plu du tout et qui méritait une enquête plus approfondie.

— Tu t'es shooté ?

Il a hésité avant de répondre :

— J'ai pris juste une petite ligne. Ça ne te dérange pas ?

— Je ne sais pas. Tu risques d'être moins performant ? j'ai dit en pensant à sa zézette.

— Mais non, pas du tout.

Carter a vu là un signal pour me montrer ce dont il était capable et il m'a jetée sur le lit. Couché sur moi, il a glissé sa main sous ma chemise. Je l'ai saisie et placée sur mes fesses. Je ne voulais pas qu'il touche à mes seins tant que je n'aurais pas pris une position plus gratifiante : les bras sous la tête pour avoir l'air plus mince.

— Tu as un si joli cul, a-t-il dit en le pinçant un peu trop fort.

— Attends de voir ça, avant de juger ! me suis-je exclamée en enlevant ma chemise et mon soutien-gorge.

— Superbe !

— Allez, touche-les ! j'ai dit en le forçant à mettre sa tête entre mes fi-filles.

Puis il a voulu descendre plus bas et je l'en ai empêché. Je n'aime pas les frivolités buccales entre inconnus. Je désirais qu'il change de direction. J'ai défait son pantalon et il a fait mine d'explorer les mers du Sud.

— Non, je veux baiser.

J'ai jeté son pantalon au loin et il s'est emparé de l'un des préservatifs qu'il avait placés sur la table de nuit. On a un peu roulé l'un sur l'autre avant qu'il ne se prépare à un tir au but.

Puis j'ai attendu qu'il se mette en branle. Mais il est resté couché sur moi. C'était ça sa définition de la baise ?

— Qu'est-ce qui se passe ?

— Désolé, je n'y arrive pas.

— Comment ?

— J'ai pris un peu plus d'une ligne... mais je peux opérer autrement.

Cela voulait-il dire qu'il allait me trouver quelqu'un à la quéquette vaillante ?

— J'ai l'impression d'être un con, a-t-il avoué.

— Ouais, j'ai dit en posant ma main sur mon front, tu ne travailles pas pour le gouvernement ?

— Si.

— Vous foutez quoi, les mecs, là-bas ? Vous vous asseyez en rond et vous sniffez ? C'est tout ?

— Mais non, pas du tout.

— Tout ça est ridicule !

Je me suis enroulée dans l'édredon.

— Puis-je venir à Los Angeles pour me faire pardonner ? C'est la première fois que ça m'arrive.

Qu'il vienne chez moi ? Cette histoire m'avait mise hors de moi. Quand je pense qu'au départ je ne voulais pas sortir ! En plus j'avais ingurgité bien plus de calories que les mille cinq cents de mon quota. Le tout dans l'espoir de baiser. Pour un résultat nul.

— Je dors.

— Je vais te laisser mon numéro. J'aimerais te revoir si tu le veux bien.

— D'accord, j'ai dit avec le même enthousiasme que je réserve aux films de Steven Seagal.

Le lendemain en me réveillant, j'ai trouvé le numéro de Carter sur un bloc de l'hôtel. J'ai préparé ma valise afin d'être prête pour la navette de neuf heures qui me conduirait à l'aéroport. À huit heures, je suis descendue dans le restaurant pour avaler une omelette de blancs d'œufs et du Tabasco. Il fallait que je me remette illico au régime. Je suis restée seule à table à lire le courrier du cœur de Dear Abby dans le journal. Quand ça ne va pas, rien ne vaut ses conseils sur la manière de prêter sa brosse à cheveux pour remettre les problèmes à leur juste place.

Les coucheries d'un soir semblaient avoir perdu leur charme d'antan. Je m'en voulais d'être aussi écœurée par les contre-performances d'un inconnu. Je me sentais comme un mec doit se sentir après s'être tapé toutes les gonzesses de la terre. Ça m'a un peu remontée, mais pas trop. Qu'est-ce que je fous de ma vie ? j'ai pensé.

Si je continuais ainsi, je ne rencontrerais que des types de mon espèce et ce n'était vraiment pas mon but. Le mariage et la fidélité ont cessé de me faire mourir de peur. Je voulais un type comme celui de Shoniqua, quelqu'un à appeler quand j'étais en voyage, quelqu'un à retrouver après avoir bu un coup avec des copines.

J'ai songé un instant à renoncer à l'alcool, mais je me suis rappelé la promesse que j'avais faite à Grey Goose, Ketel One et autres bouteilles de vodka de grandes marques quand j'avais vingt ans : ne lâche pas un truc qui n'exige rien en retour.

Ces idées me trottaient dans la tête depuis deux ans, mais je les avais enfouies au fond de mon inconscient par peur d'une première panic-attack.

Il était peut-être temps que je grandisse et ça ne me réjouissait pas.

Comme d'hab, Shoniqua est descendue à neuf heures dix, car elle n'a jamais été à l'heure de sa vie. J'étais déjà installée dans la navette quand le chauffeur lui a ouvert la portière.

— Alors, ma pute, comment c'était ?

— Pose pas de questions.

— Oh, ne me dis pas que tu as tout fait foirer ! J'ai passé deux à trois heures à lui vendre ton petit cul !

— Carter marche à la coke et il ne peut pas bander.

Elle est restée bouche bée et j'ai dû la lui fermer.

— Tu devrais le laisser revenir en deuxième semaine. Tu lui as filé tes coordonnées ?

— Il m'a donné son numéro, que j'ai laissé là-haut.

— Chelsea ! s'est-elle exclamée d'un ton de reproche.

— J'ai décidé de me mettre aux abonnés absents.

— Vraiment.

— Oui, je n'ai plus envie de coucher pendant un moment. Ou jusqu'à ce que je trouve un type qui me plaise vraiment. J'en ai marre.

— Oh, merde, j'ai jamais rien entendu de pareil ! T'as dû avoir un choc.

— Ça ne m'amuse plus et tu as raison. Je suis devenue une adulte et, que je le veuille ou non, quelqu'un va devoir m'épouser. Autant que je sois prête pour le grand saut.

— Ahmed, a-t-elle dit en s'adressant au chauffeur dont elle ne connaissait pas le nom, tu as entendu ça ? Madame ferme boutique pour l'hiver. Eh bien, c'est pas trop tôt !

Nous volions vers New York où l'on tournait une autre partie de notre show. Pap's devait nous attendre à l'aéroport pour nous emmener dîner à la maison.

— Je suis impatiente de voir ton dingue de père, a dit Shoniqua devant le tourniquet des bagages.

Il se tenait à moitié sorti de sa voiture, une Ford Escort deux portes, mauve, avec des bandes d'écurie de course. Le pare-chocs avant avait disparu. Ayant grandi au milieu d'épaves du même genre, j'ai deviné qu'elle devait dater des années 1980-1985. Nous étions en 2005 !

— Voilà Melvin, ai-je dit en montrant mon père du doigt.

— Où ça ? Où ça ?

— Devant toi. Je lui ai désigné un individu de 120 kilos qui sautillait sur place.

— Quelle caisse de merde ! s'est-elle exclamée.

227

En nous voyant nous approcher, Melvin s'est mis à faire de grands moulinets avec ses bras.

— Tiens, il a des saucisses à la place de ses doigts, a remarqué Shoniqua en lui adressant un sourire.

Pap's a fait le tour de sa Ford et on a pu le découvrir tout entier. Il portait des lunettes de soleil qui lui dévoraient la moitié du visage et un chapeau de cow-boy de deux tailles trop petit. Plus un immense pull multicolore et plein de taches que mam's avait dû lui tricoter, une chemise de sport rouge au col ouvert et, pour compléter le tableau, des baskets à bandes velcro et un treillis accroché à des bretelles.

— Regarde-moi ça ! a fait Shoniqua en courant dans sa direction. Salut, Melvin !

— Comment va, Magie noire ? a demandé pap's en essayant de l'embrasser sur la bouche, mais elle a détourné la tête.

— Vise un peu cette tire ! Quelle beauté !

— Elle te plaît ?

— Évidemment, elle est assortie à mon pull !

Elle a pris place à l'avant tandis que je passais du côté de pap's et subissais son baiser sur la bouche. Je suis montée à l'arrière en m'essuyant les lèvres.

— Incroyable, a dit pap's, mais cette voiture a deux cent cinquante mille kilomètres au compteur.

— Comme neuve, quoi !

— Et le pare-chocs, Melvin ? Que lui est-il arrivé ?

— On s'en fout. Ce n'est qu'une question d'esthétique. On n'en a pas besoin pour rouler. J'ai mis une annonce voilà trois jours et j'ai eu plus d'une dizaine d'offres. Elle va s'envoler.

Shoniqua a essayé de croiser mon regard, mais j'ai détourné la tête.

— Comment s'est déroulé le voyage ? a demandé pap's. Tu as évité à Chelsea de faire des bêtises ?

— Ouais, tu me connais, j'essaye de garder son cul sur une ligne droite.

— Ma fille doit faire attention à elle. Les hommes l'adorent. Et elle adore les hommes. Et elle est très attirante, comme son père.

J'ai appuyé ma tête contre la vitre pour penser à autre chose.

— Ouais, Chelsea est le portrait de son père, a renchéri Shoniqua.

Elle a glissé sa main derrière son siège et m'a pincé la jambe. Comme elle fait ça tout le temps, je suis couverte de bleus.

— Tu sais, quand j'étais plus jeune... plus tellement maintenant, j'attirais les femmes. J'ai vécu dans des tas d'endroits... L'Italie, l'Espagne, la Grèce, l'Allemagne et j'ai eu beaucoup de succès.

— Il y a longtemps ? a insisté Shoniqua.

— Ouais, je sais ce que disent les jeunes aujourd'hui. Je regarde MTV et « The Real World ».

— Pas possible !

— Oui, a-t-il confirmé au moment où son portable retentissait au son de la chanson « Confessions » des Usher.

— O.K., est convenue Shoniqua en me balançant son sac au visage, ce mec est dingue.

Melvin a discuté avec un acheteur éventuel.

— ... parfait état, ronronne comme un bébé, stéréo, fenêtres manuelles... spoiler et tout le tralala... un vrai cadeau pour 1 275 dollars. Prix ferme et définitif.

— Il n'avait pas vraiment envie d'une voiture. Les gens ne savent pas ce qu'ils veulent, a commenté pap's en raccrochant. Enfin ! La mère de Chelsea vous a commandé un dîner chinois. Sauf si, Shoniqua, tu préfères qu'on s'arrête acheter du poulet.

— Le chinois me va très bien.

Et elle m'a serré le genou.

J'ignorais combien de temps je pourrais subir encore cette conversation. Shoniqua, elle, avait descendu sa vitre et penché sa tête au dehors.

— Oh, les filles, vous voulez que je mette la clim ? Elle marche au poil depuis que j'ai remis du liquide de refroidissement. Enfin ! comme je disais, j'ai mené une vie de patachon. J'attirais les femmes et ça continue. Des fois, au supermarché, trois ou quatre femmes me demandent de leur trouver des cornichons ou des pêches. Je suis désolé pour elles... sans doute des veuves... quand elles voient un homme comme moi, elles perdent les pédales. Chelsea me ressemble : elle ne peut pas tenir les hommes à distance et réciproquement.

Shoniqua s'est mouchée et a réussi à ne pas éclater.

— Je crois que Chelsea va laisser tomber les hommes pour quelque temps. Et je vais essayer de lui trouver un mari.

— Vraiment ? a douté pap's.

— Ouais. Elle a vingt-huit ans et il faut qu'elle se conduise en adulte.

— Ravi de savoir que tu t'occupes d'elle. Dieu sait qu'elle n'écoute ni son père ni sa mère.

— Exact, Melvin ! Je vais la faire marcher au pas. Elle pourrait écrire un livre sur les hommes qu'elle a eus.

— Quelle bonne idée, ça pourrait se vendre.

— T'entends, Chelsea ? a fait Shoniqua en se tournant vers moi. Tu devrais écrire un livre.

— Quelle idée idiote ! j'ai dit.

Remerciements

Michael Broussard, Colin Dickerman, Stephen Morrison, Marisa Pagano, Mark Schulman, Susan Haber, Marr Johnson. Chet, Roy, Glen, Simone, Shana, Olga, Wideload, Mikey, Black Magic et tous mes trésors. Gaby et Terry Burke pour toute ma vodka. Panio Gianopoulos, merci mille fois pour tout ce travail si bien fait. Sauf le jour où tu es allé chez le « chiropracteur ».

Table

Regarde qui couche avec maman............ 9

Le commencement de la fin............... 21

Débile et compagnie 25

Devine qui saute par la fenêtre? 33

Mon petit Pepito 49

Desperado............................ 56

Une sale traînée........................ 63

Tonnerre............................. 71

Un petit bigorneau..................... 80

N'en croyez pas un mot.................. 86

Le Cookie Monster. 95

Docteur, docteur! 107

Oh, la ferme!......................... 121

Une histoire de mariage 137

Une femme à la mer.................... 154

Un *come out* 179

Revu et corrigé 197

Fausse alerte 214

Cet ouvrage a été composé et imprimé par

FIRMIN DIDOT

GROUPE CPI

Mesnil-sur-l'Estrée

pour le compte de NiL Éditions
24, avenue Marceau, 75008 Paris
en avril 2007

Imprimé en France
Dépôt légal : mai 2007
N° d'édition : 47780/01 – N° d'impression : 84416